LES 7 BONNES RAISONS
de croire à l'au-delà

Du même auteur :

CLC éditions :

Coma dépassé, 2001

Derrière la lumière, 2002

Éternelle Jeunesse, 2004

L'après-vie existe, 2006

Guy Trédaniel Éditeur :

La Mort décodée, 2008.

La médecine face à l'au-delà, 2010

Éditions Exergue :

Les Preuves scientifiques d'une Vie après la vie, 2008

Le Cherche Midi :

Histoires incroyables d'un anesthésiste-réanimateur, 2010

Le site de l'auteur : www.charbonier.fr

ISBN : 978-2-8132-0502-5

www.editions-tredaniel.com
info@guytredaniel.fr

Dr Jean-Jacques Charbonier
Anesthésiste-réanimateur

Les 7 bonnes raisons de croire à l'au-delà

Le livre à offrir aux sceptiques et aux détracteurs

Préface du Dr Olivier CHAMBON (psychiatre)
Postface d'Emmanuel RANSFORD (physicien)

Guy **Trédaniel** éditeur
19, rue Saint-Séverin
75005 Paris

« Chaque fois que quelqu'un regarde les choses d'une façon un peu nouvelle, les quatre quarts des gens ne voient goutte à ce qu'il leur montre. »

Marcel Proust,
Le Côté de Guermantes

« C'est quand on a raison qu'il est difficile de prouver qu'on n'a pas tort. »

Pierre Dac,
Arrière-pensées

À Léon et Gabriel

Préface

Attention, ouvrage d'utilité publique ! Dans dix ou quinze années, ce qu'affirme aujourd'hui le Dr Charbonier, à savoir la survie de la conscience après la mort, semblera probablement d'une grande banalité. Mais il est aujourd'hui le seul à avoir le courage de l'affirmer avec une telle clarté, en prenant appui sur la science, et ce, malgré les attaques virulentes et parfois personnelles, dont il a été l'objet par les matérialistes, sceptiques, et zététiciens de tous poils. Dans un style très vivant et agréable à lire, J.-J. Charbonier nous montre à quel point il est important de reconsidérer notre point de vue sur la mort, en tenant compte des dernières découvertes scientifiques. Dans cet ouvrage, vous apprendrez que la meilleure raison de croire en l'au-delà vient du fait que l'hypothèse d'une vie après la mort est dorénavant bien plus validée que l'hypothèse matérialiste inverse qui affirmait « il n'y a rien après la mort », et ce, grâce aux données recueillies dans de très nombreuses études scientifiques au cours de ces 35 dernières années. Rien qu'avec le cas de Pamela Reynolds et la façon dont Jean-Jacques Charbonier réfute les objections infondées des matérialistes à son égard, la démonstration est faite : ce cas prouve (j'ai bien dit « prouve »), juste à lui seul, que la conscience est bien indépendante du cerveau et survit à sa mort. Le livre du Dr Charbonier pourrait reprendre le titre de celui du scientifique Charles Tart, « *The End of materialism* », (« La fin du matérialisme »). Il suffit en effet de bien vouloir prendre la peine de considérer avec le minimum de raison les faits exposés : le doute n'est plus de mise, le matérialisme est mis définitivement « K.O. », il y a bel et bien une vie de la conscience qui continue après la mort du corps.

Mon Confrère propose le terme d' « Expérience de Mort Provisoire », bien plus adéquat à ses yeux que celui d'EMI (Expérience de Mort Imminente), communément utilisé dans la littérature (ou NDE « Near Death Experience » chez les anglo-saxons). Comme il le dit si justement, « Le propriétaire d'un cœur arrêté n'est pas « proche de la mort » ni « aux frontières de la mort » ou en « état de mort imminente » ; il est déjà mort et souvent depuis de nombreuses minutes ! ». Certains affirment, faussement selon moi, que l'EMI « c'est comme être dans la salle d'embarquement d'un aéroport, on a pas vraiment pris l'avion et on ne sait donc pas ce qu'est la destination finale réellement ». Tout semble au contraire indiquer, que lors d'une EMI, on prend vraiment l'avion, on atterrit bien au pays des morts, mais on en revient, car on a eu la chance de posséder un billet retour, contrairement à la mort habituellement irréversible. Il est donc bien question, dans ce manuel pratique, de la mort et de ce qui se passera après la vie terrestre. Vous avez donc acquis en quelque sorte un « guide du routard de l'après vie », une manière de vous préparer à votre propre passage ou à celui de vos proches, pour bien profiter de cet « ultime voyage ».

Les personnes ayant vécu des expériences de contact avec la mort, disent bien que ce qu'ils ont vécu est « plus réel que la réalité », et que le doute sur l'existence de l'au-delà n'est plus de mise pour elles. Elles n'ont plus peur de la mort, et leur transformation spirituelle dans les années qui suivent leur expérience est d'ailleurs un argument majeur en faveur de l'authenticité de leur contact avec une autre réalité. Comme l'a démontré le Professeur Kenneth Ring, l'impact très positif au long cours des EMI sur l'existence de ceux qui l'ont vécu, peut en partie se transmettre, comme une sorte de virus positif, à ceux qui lisent les récits de ces « expérienceurs ». Avec l'ouvrage que vous tenez dans vos mains, je pense que vous allez attraper ce virus qui va changer votre vie ! À long terme, il apporte l'humour, l'amour, et la joie dans la vie de tous les jours. Il est quand même plus facile de se détendre face à la vie si l'on sait que celle-ci continue après la mort du corps, et que l'on n'emporte dans l'au-delà que l'essentiel, à savoir notre conscience, nos connaissances, notre capacité à aimer, et nos liens d'amour.

Je finirai cette préface en vous donnant mon « cri du cœur », juste après avoir fini la lecture de cet ouvrage, que j'ai immédiatement exprimé par e-mail :

« Cher Confrère,

Je viens de finir la lecture de votre ouvrage : quel livre brillant, clair, et si convainquant ! Je suis sûr qu'il va constituer un ouvrage de référence pour ouvrir l'esprit et frapper le cœur du grand public. Avec quelle évidence vous exposez les faits, tous ces beaux témoignages de « première main », et avec quelle facilité vous démontez les arguments de vos (nos) contradicteurs matérialistes, si prévisibles dans la naïveté de leur ignorance Bravo, et merci pour tous, car les leçons de la mort nous apprennent tellement à mieux vivre ! »

Dr Olivier Chambon,

Psychiatre, Psychothérapeute,
Auteur de *La médecine psychédélique*[1],
et co-auteur du livre *Le chamane et le psy*[2].

1. Les Arènes, 2009.
2. Mamaéditions.com, 2010, avec Laurent Huguelit.

Avant-propos

Souvent, les gens me demandent : « Docteur, vous dites être persuadé de l'existence d'un au-delà mais avez-vous au moins une seule bonne raison à donner pour affirmer cela ? » ou encore : « Je sais que vous avez écrit plusieurs livres sur la vie après la vie. Je voudrais en offrir un qui ne soit ni trop encombré de termes médicaux ni trop compliqué à lire ; c'est pour quelqu'un qui n'est pas très ouvert à toutes ces choses et qui n'a jamais rien lu sur le sujet. Alors, lequel me conseillez-vous ? »

Ce sont ces deux interrogations récurrentes qui ont motivé ce travail. J'ai souhaité que le texte soit le plus simple et le plus concis possible pour donner à un lectorat de non-initiés toutes les réponses aux questions classiques posées par le béotien mais aussi et surtout par la plupart des sceptiques et des détracteurs matérialistes qui m'interpellent par courrier ou par médias interposés.

J'ai cherché les meilleurs arguments pour me faire l'avocat de l'existence d'un au-delà et j'en ai trouvé sept ; sept phénomènes hélas trop méconnus, contestés par beaucoup et pourtant irréfutables ; sept preuves époustouflantes et difficilement opposables. Pour chacune d'elles, j'ai donné la parole aux contradicteurs afin d'exposer la faiblesse de leurs dialectiques et démontrer que celles-ci s'effondrent sans peine une à une devant la logique d'une analyse rigoureuse et objective.

Croire en un au-delà transforme la vie ; les valeurs matérielles s'effacent et ne sont plus prioritaires ; la peur de la mort disparaît ; le bonheur devient synonyme d'amour et de spiritualité et semble de ce fait beaucoup plus accessible. Dans ce bas monde dominé par l'argent, il semble en effet qu'il soit plus rare de vouloir donner de l'amour aux autres en profitant des instants privilégiés d'une rencontre ou d'un moment particulier – comme par exemple une simple promenade dans la nature ou une conversation improvisée avec un proche ou un inconnu – que de désirer accumuler égoïstement des richesses matérielles en négligeant tout le reste. Et c'est sûrement pour cela qu'il y a autant de gens malheureux dans nos sociétés occidentales ; on ne se parle plus et méditer en silence est assimilé à du temps perdu !

Nous verrons que la modification transcendante relative à une croyance en l'au-delà s'opère chez 18 % de ceux qui ont connu un arrêt cardiaque et chez tous ceux qui ont une foi en Dieu sincère et authentique.

Croire en un au-delà a également l'avantage d'améliorer la santé, si bien que les effets positifs de la foi et de la prière sur la maladie ont attiré l'attention de nombreux médecins. Une enquête publiée dans le *Newsweek* du 10 novembre 2003 révèle qu'une foi en Dieu rehausse le moral et aide à recouvrer plus facilement et plus rapidement une bonne forme après une grave pathologie. Toujours selon la même étude, 72 % des Américains pensent que la prière permet de mieux guérir en favorisant un rétablissement précoce. Les travaux pratiqués à l'université Rush de Chicago ainsi que les recherches menées à l'université du Michigan ont montré que les dépressions nerveuses et les maladies psychosomatiques liées aux stress étaient moins nombreuses chez les personnes pieuses tandis que le taux de mortalité chez les adultes jeunes diminuait de 25 %

lorsqu'ils croyaient à une vie après la mort. L'université de Duke en Caroline du Nord a établi que ce même taux baissait de 30 % chez les cardiaques dans l'année qui suivait une lourde opération si ces patients pratiquaient la prière.

Ces études scientifiques ne viennent en fait que confirmer ce que l'on pressentait déjà depuis pas mal d'années : croire à l'existence d'un au-delà augmente l'espérance de vie en améliorant le moral, tout en diminuant les redoutables répercussions physiques liées au stress, à l'angoisse et à la peur.

Puisse ce plaidoyer en faveur d'une vie après la vie contribuer à transformer en ce sens les lecteurs de cet ouvrage en leur ouvrant les portes d'une véritable sérénité et d'une meilleure santé en dépit des moments parfois cruels et douloureux de l'existence.

Avertissement

Tous les témoignages qui vont suivre sont authentiques ; ils m'ont été personnellement adressés par écrit ou confiés lors d'entrevues. À la demande de certains témoins, j'ai parfois utilisé des identités fictives et retiré toute indication qui aurait pu permettre de reconnaître les personnes impliquées. Pour illustrer mes propos, j'ai aussi été obligé de ne retranscrire que des extraits des courriers reçus.

La première bonne raison :

60 millions d'individus revenus de la mort

« Et si l'on est convaincu qu'une chose n'existe pas, on ne la voit pas. »

Ervin László
INREES, Paris, le 25 mai 2011

“Juste après mon arrêt cardiaque, je suis sorti de mon corps. J'étais au plafond et j'ai tout vu ; j'ai assisté à tous les détails de ma réanimation. Je voulais hurler aux personnes qui tentaient de me faire revenir à la vie de me laisser tranquille, de me laisser filer, mais ils ne pouvaient pas m'entendre. J'étais formidablement bien et je n'avais pas du tout le désir de revenir dans mon corps. Je suis ensuite passé dans un tunnel. Je baignais dans une lumière d'amour

inconditionnel et mon bonheur était d'une puissance indicible. J'ai revu toute ma vie dans ses moindres détails et en accéléré. J'ai ressenti le bien et le mal que j'avais fait aux autres. J'ai rencontré un être de lumière d'une bonté infinie qui m'a demandé ce que j'avais fait de ma vie et ce que j'avais fait pour les autres. Mes parents décédés sont venus m'accueillir pour me dire qu'il fallait que je revienne dans mon corps car je ne pouvais malheureusement pas rester avec eux alors que je le souhaitais ardemment. Ils m'ont montré une frontière qui était une limite que je ne devais pas franchir. Au moment où j'ai réintégré mon corps, toutes mes douleurs terrestres sont revenues et j'étais terriblement triste de quitter cette merveilleuse lumière. Je suis maintenant très heureux car je sais qu'il y a une vie après la mort et qu'un jour je serai de nouveau dans cette lumière d'amour. Je sais aussi que, sur cette terre, le plus important est de savoir aimer et aider les autres. Cette expérience a bouleversé ma vie. Plus rien ne sera jamais comme avant. "

Les voyages vers l'au-delà

En vingt-cinq ans de réanimation, j'ai pu rassembler plusieurs centaines de témoignages de patients revenus d'une mort clinique. Le discours reconstitué dans les lignes précédentes est une synthèse condensée de ces différents récits ; une sorte de résumé regroupant les principales caractéristiques de ces singuliers voyages dans l'au-delà. La séquence événementielle décrite est presque toujours la même et ceci indépendamment des cultures, des philosophies, des lieux de vie ou des religions.

Il n'existe aucun facteur prédictif pour vivre l'expérience ; ni l'âge ni le sexe ni le niveau social ni les croyances ne permettent de dégager des prédispositions particulières pour connaitre cet extraordinaire événement. Pourtant, aucune histoire ne se ressemble vraiment car chacun exprime son vécu avec sa sensibilité et sa culture. Toutefois, les nombreux éléments récurrents que j'ai pu recueillir laissent penser que l'itinéraire est, à peu de choses près, toujours le même. C'est comme si on demandait à un jeune Esquimau, à une vieille Américaine ou à un quinquagénaire Sénégalais de raconter un voyage à Venise ; leurs histoires seraient fort différentes mais au total, on s'apercevrait assez rapidement qu'ils sont tous les trois partis visiter la même ville. Par exemple, un enfant victime d'un arrêt cardiaque dit avoir vu « un grand monsieur qui s'éclairait tout seul » pour décrire l'être de lumière. Certains rencontrent Jésus-Christ, d'autres Bouddha, la Vierge Marie ou encore le prophète Mahomet ; la divinité aperçue dans la lumière se métamorphose en fonction des croyances et des religions. Un élément est retrouvé dans cent pour cent des cas : pour ceux qui ont connu la chose, la vie se poursuit après la mort et l'au-delà existe. Ils en sont intimement persuadés et rien ni personne ne pourra leur faire changer d'avis. L'un d'eux m'a dit un jour :

“Même si un scientifique parvenait à prouver par A plus B que mon expérience n'était qu'une hallucination, je ne le croirai pas une seule seconde car je suis certain au fond de moi que ce que j'ai vécu ce jour-là était bien réel ; cela n'avait rien à voir avec un rêve ou une hallucination !

Selon les dernières études statistiques[1], ils seraient au moins 60 millions à avoir connu cette expérience transcendante

1. Institut Gallup 1993, US News and Word Report 1997, INA Schmied 1999.

après un arrêt cardiaque : 4 % de la population occidentale (2,5 millions de Français, 12 millions d'Américains), beaucoup moins dans les régions de la planète où les possibilités de réanimation sont quasi inexistantes. Il y a fort à parier qu'avec la banalisation de ce genre d'histoires et le développement des défibrillateurs automatiques, on assistera très rapidement à une multiplication des récits.

Dans une plus faible proportion de cas, il arrive aussi que les incursions dans l'au-delà ne soient pas vécues d'une manière aussi agréable et fantastique que cela. Michel Garant a par exemple gardé un épouvantable souvenir de son expérience anesthésique au cours de son pontage aortocoronarien pratiqué en semi urgence en 1997. Son récit montre bien tous les côtés négatifs de son expérience. Plusieurs études ont été menées pour essayer de comprendre pourquoi certains individus côtoyaient l'enfer plutôt que le paradis au cours de ces expériences et, ici encore, aucun facteur prédictif n'a pu être dégagé. Voici son courrier :

“ On ne sait jamais comment va se passer la traversée du miroir.

Le poète a écrit : « Je fais souvent un rêve étrange et pénétrant… ». Ce poème et bien d'autres accompagnèrent de leur musique le roulement du chariot qui me menait vers le bloc opératoire…

Quel rêve allais-je faire ?

Les spots aveuglants, les bras en croix, les anges verts qui tourbillonnent autour de l'autel sacrificiel…

Comme le pélican du poème, on allait déchirer mon corps jusqu'aux entrailles, jusqu'au cœur qui avait trop battu la chamade !!!

Une voix dit : « Fermez votre poing, je vais serrer au bras puis piquer votre meilleure veine, vous ne sentirez rien, ensuite comptez. »

Une brûlure légère courant dans la veine de mon bras gauche, j'ai compté : un, deux, trois, quatre, cinq, puis ce fut la descente moelleuse cotonneuse douce vers le néant… Le vide, l'absence, les nébuleuses. Je ne sais pas combien de temps dura mon errance insensible…

Je m'éveillai soudain, minuscule et nu, glacé de l'intérieur plus que de l'extérieur. Je me retrouvais plaqué contre un mur vertigineux sans base, sans hauteur, sans commencement ni fin. Tout mon horizon n'était que ce mur granuleux et beige contre lequel une force inconnue me pressait, m'écrasait, me laminait… J'avais peur, j'étais seul, loin de tout, loin du monde, loin du bruit, seul, minuscule bébé nu dans un silence de glace… J'avais froid, tellement froid. Alors, terrifié, j'ai senti ce mur horrible bouger, basculer et m'entraîner vers le vide… J'allais tomber vers l'horreur absolu… C'était donc ça … la MORT… ou L'ENFER…

Mais non, j'ai repris conscience dans mon corps de glace. J'entendais du bruit autour de moi, c'est si rassurant le bruit… Des voix d'anges qui disaient : « Il va se réveiller…. » J'avais froid, si froid, je voulais que l'on me recouvre d'une chaude couverture, mais j'étais dans une armature de glace, un corps qui ne me répondait pas et ne m'obéissait plus…

Pourquoi m'avait-on enfermé dans ce corps inerte qui était ma prison ?

Je voulais gratter le drap sur lequel je reposais, mais impossible, mes mains, elles aussi, restaient de glace…

Enfin j'ai pu articuler : « J'ai froid… »

Autre exemple : l'extrait du témoignage de C. L. – qui pour des raisons évidentes de confidentialité tient à conserver l'anonymat – illustre parfaitement ce que peut être une expérience infernale vécue pendant un arrêt cardiaque :

“ J'étais au plafond et je voyais l'anesthésiste me faire un massage cardiaque tandis que le chirurgien lui demandait ce qu'il fallait qu'il fasse. J'identifiais bien mon corps sur la table d'opération, mais il était comme un corps étranger qui ne m'appartenait déjà plus. Il y avait beaucoup de monde autour de moi pour essayer de me réanimer. Je suis ensuite entré dans une sorte de cône très obscur qui tournait en spirale et un courant très fort m'emporta vers l'extrémité de cet entonnoir. Au passage, je croisai des visages ridés et grimaçants qui semblaient appartenir à des gens qui souffraient terriblement. Plus je m'enfonçais dans ce cylindre qui devenait de plus en plus étroit, plus les gens souffraient. Ils criaient, mais aucun son ne sortait de leurs

bouches. C'était terrible. Moi aussi je pouvais ressentir leurs souffrances [...] Quand je suis enfin arrivé devant cette flamme immense, j'ai d'abord pensé que j'étais en enfer et que j'allais être brûlé tout de suite. Mais la flamme s'est mise à danser d'une drôle de façon et elle m'a enveloppé pour me demander comment j'avais aidé les autres. Je n'ai su quoi lui répondre. C'est à ce moment là que j'ai pris conscience que ma vie passée n'avait été qu'une suite de petits larcins et d'escroqueries minables. Je ne pensais qu'à m'enrichir en volant et en méprisant les autres. J'étais très malheureux car je n'aidais personne, surtout pas moi. Ma NDE[2] m'a fait comprendre qu'on ne pouvait être heureux qu'en aidant les autres. C'est maintenant ce que je fais. Ma NDE m'a aussi donné la chance de pouvoir soigner avec mes mains. Je l'ai fait spontanément dès mon retour à la vie. Je soigne gratuitement et ça marche. Mes amis ne me reconnaissent plus car j'étais ce que l'on appelle un businessman qui ne pensait qu'au fric et maintenant je suis complètement dépouillé et, aussi et surtout, complètement libre. Je n'ai pas peur de mourir car je sais que j'aurai de bonnes actions à montrer quand je repasserai devant Dieu. La morale à tirer

2. *Near death experience* appelée encore expérience de mort imminente ou EMI. Les personnes ayant vécu ces NDE ou EMI étant appelées des *expérienceurs*.

de tout ça, c'est qu'on ne peut être heureux qu'en aidant les autres, même en aidant quelqu'un à traverser la rue.

Djohar si Ahmed est psychanalyste et docteur en psychopathologie. Passionnée depuis longtemps par les états de conscience modifiée et les phénomènes télépathiques, elle est une des rares scientifiques à intégrer la dimension spirituelle dans ses diverses thérapies. Si on lui demande ce qu'elle pense de ces expériences infernales, elle répond :

“ Une NDE positive est un état de narcissisation remarquable, de fusion dans un amour absolu, dans une compréhension de soi-même quasi globale. Les NDE négatives sont à l'inverse, terme à terme, des NDE positives : ce qui était magnifique devient diabolique, ce qui était beau devient horreur et angoisse, ce qui était lumière devient ténèbres, le paradis devient l'enfer, etc. Le plus difficile pour la personne qui fait une NDE négative est alors d'en parler car il y a beaucoup de culpabilité en jeu ; si les autres vivent une expérience si belle et moi un voyage si terrifiant,

c'est que je dois être un monstre ! C'est pourquoi il est très important d'informer les gens sur ce sujet afin qu'ils puissent intégrer cette expérience.

J'ai eu de nombreuses discussions avec des personnes qui ont vécu des expériences désagréables à la suite d'un arrêt cardiaque. Elles sont encore plus récalcitrantes à témoigner que celles qui ont eu de merveilleux ressentis de bonheur indicible ; il est vrai qu'il ni très avantageux ni très glorieux de prétendre que l'on a connu l'enfer ! J'ai pourtant remarqué que la grande majorité de cette population de « malchanceux » garde un souvenir plutôt positif de l'aventure ; ils n'ont notamment plus peur de mourir – ce qui pourrait sembler à première vue paradoxal compte tenu de ce qu'ils ont connu au moment où tout a basculé – et ont plutôt intégré leur expérience négative comme un avertissement de l'au-delà leur demandant de *changer leur comportement terrestre* en *donnant de l'amour aux autres*. Ces personnes sont persuadées qu'en modifiant du tout au tout leurs objectifs de vie, elles prendront un chemin différent de celui qu'elles ont connu au moment de leur mort provisoire ; certaines disent même avoir retrouvé une foi en Dieu perdue depuis bien longtemps. Bref, ces expériences de mort provisoires négatives sont plutôt dans ces cas vécues comme une bonne leçon donnée par l'au-delà.

L'expérience n'est pas une hallucination

La majorité des scientifiques admettent encore aujourd'hui que cette expérience transcendante serait secondaire à un phénomène hallucinatoire produit par un cerveau défaillant privé d'oxygène et surchargé en gaz carbonique. Sans rentrer dans des détails trop techniques pour le lecteur qui n'a pas fait d'études médicales, je précise simplement que ces sceptiques suggèrent qu'un déficit d'oxygène dans un lobe cérébral occipital mal perfusé pourrait entraîner des visions de points lumineux évoquant l'extrémité d'un tunnel, tandis que les troubles métaboliques induits par une hypoxie[3] neuronale prolongée provoqueraient des sensations de plaisir intense en activant des récepteurs morphiniques. Quant à la sensation de sortie de corps, elle serait induite par la stimulation d'une zone précise du cerveau : le gyrus angulaire droit. Un récit cohérent, bien que totalement fantaisiste, intégrant toutes les sensations fugitives perçues lors de l'expérience aux multiples souvenirs d'une vie serait ensuite spontanément reconstitué par un cerveau recouvrant toute son autonomie.

Ces explications ne tiennent pas la route bien longtemps lorsque l'on a une bonne connaissance de ce type d'expériences. Reprenons-les dans le détail.

Le déficit d'oxygène et l'excès de gaz carbonique

Nous savons que l'hypoxie et l'hypercapnie[4] produisent des tableaux cliniques particuliers assez typiques regroupant une lenteur d'idéation, une irritabilité, des difficultés de concentration et des troubles de la mémoire, bref des comportements qui contrastent énormément avec les

3. Manque d'oxygène.
4. Excès de gaz carbonique.

perceptions et la clarté mentale de ceux qui vivent une NDE.

Pim van Lommel[5] a rapporté le cas très intéressant d'un homme dont on avait mesuré les taux sanguins en oxygène et en dioxyde de carbone au moment précis de sa NDE, secondaire à un arrêt cardiaque. Alors qu'il semblait totalement inconscient, le patient a clairement « vu » le médecin qui lui introduisait l'aiguille dans son artère fémorale pour analyser les gaz sanguins. Or, les résultats de cet examen étaient strictement normaux ; il n'y avait ni hypoxie ni hypercapnie. Le fait que cet examen se soit déroulé au moment même de la NDE – puisque le patient se trouvait en dehors de son corps pour observer la scène – démontre bien que les NDE ne sont pas plus secondaires à un manque d'oxygène qu'à un excès de gaz carbonique.

La vision d'un point lumineux induite par un lobe occipital mal perfusé crée une image qui ressemble à celle d'un écran qui s'éteint sur un vieux poste de télévision à tube cathodique ; l'intensité du spot lumineux s'amplifie

5. Le Dr Pim van Lommel est un cardiologue des Pays-Bas qui a consacré beaucoup de son temps pour étudier les NDE.

brusquement puis décroît progressivement, avant de disparaître totalement. Il suffit d'interroger les rescapés de la mort pour se rendre compte que cette sensation d'extinction lumineuse de tube cathodique n'a absolument rien de commun avec l'indicible lumière d'amour surgissant au bout d'un tunnel. Celle-ci est au contraire d'une intensité et d'une importance croissante ; elle n'apparaît jamais comme un flash lumineux qui s'estompe peu à peu.

> “*Au fond de ce couloir sombre dans lequel je m'enfonçais à une vitesse incroyable, il y avait cette lumière qui était plus puissante que mille milliards de soleils et qui pourtant ne m'éblouissait pas. Quand je me suis rapproché d'elle, elle m'a totalement entouré. Je baignais en elle. Cette lumière m'aimait. Elle me parlait par télépathie. Jamais de ma vie je n'ai rencontré quelque chose d'aussi puissant et d'aussi aimant que cette lumière divine.* (Extrait du récit de Paul Brunet après son accident de moto.)

La stimulation des récepteurs morphiniques du cerveau peut effectivement donner des sensations de bien-être extraordinaires et produire un certain plaisir recherché par les morphinomanes. Mais, à ma connaissance, un shoot de morphine, aussi puissant soit-il, n'a jamais été suffisant pour modifier toute une vie de façon aussi radicale comme c'est le cas dans l'expérience qui nous intéresse. Effectivement, après cette aventure hors du commun, on assiste bien souvent à des bouleversements spectaculaires ; divorce, déménagement, changement de métiers, d'amis, de points d'intérêt, etc. Si l'expérience est totalement intégrée et acceptée, les relations aux autre sont bonifiées ; les personnalités deviennent plus aimantes, plus attractives ; certains disent avoir développé des facultés artistique, intuitive, médiumnique ou de guérisseur. On n'observe rarement cela chez un morphinomane !

La stimulation du gyrus angulaire droit induit une impression de décalé par rapport à son corps ; une *vision autoscopique externe* qui peut donner à la personne l'illusion de voir son corps comme si elle était à distance de celui-ci[6]. Cependant, ce phénomène hallucinatoire

6. BLANKE O., ORTIGUE S., LANDIS T., SEECK M., *Stimulating illusory own-body perceptions*, Nature, 2002, 419, pp. 269-270. Et aussi par les mêmes auteurs, *Out-of-body experience and autoscopy of neurochirurgical origin*, Brain,

reproductible ne peut être assimilé à ce qui est vécu lors de l'expérience car certains sujets sont en mesure de décrire non seulement leur corps comme s'ils se trouvaient au-dessus ou à distance de celui-ci, mais également des détails précis impossibles à visualiser sans avoir eu la possibilité d'un éloignement physique comme, par exemple, une plaque cachée sous une table d'opération[7], l'intégralité des gestes pratiqués par une équipe médicale au cours d'un arrêt cardiaque, le tiroir où fut rangé à la hâte le dentier de celui qu'on réanimait[8], les numéros d'immatriculation du véhicule d'un chauffard pensant avoir laissé pour mort un piéton qui en fait avait tout « vu »[9] et bien d'autres éléments du même ordre qu'il serait fastidieux de répertorier ici tant ils sont nombreux.

La reconstitution d'une histoire cohérente par un cerveau défaillant ne saurait expliquer comment certains

---

2004, 127 : 243-258.

7. Récit de la NDE de Jean Morzelle (MORZELLE J., *Tout commence après. Mes rencontres avec l'au-delà*, éd. CLC, 2007)

8. VAN LOMMEL P., VAN WEES R., MEYERS V. et ELFERIH I. *Near-death experience in survivors of cardiac arrest : a prospective study in the Netherlands*, The Lancet, vol. 358 (2001).

9. CHARBONIER J.-J., *L'après-vie existe*, éd. CLC, 2006, p. 70-73.

sujets sont capables de décrire des situations exactes se déroulant à très grande distance de leur corps, comme par exemple une opération ayant lieu dans un bloc chirurgical voisin, la tenue vestimentaire et les postures de personnes patientant dans une salle d'attente[10], le nombre de vélos rangés dans le parc d'un hôpital[11] ou une scène bien particulière se déroulant dans un appartement situé à des kilomètres. Tout se passe en fait comme si la conscience des sujets réanimés était capable de traverser les murs pour visualiser des événements précis qui se sont avérés réels après de minutieuses vérifications.

“ Pendant que les pompiers pratiquaient mon massage cardiaque, j'ai quitté mon corps par le haut de mon crâne, j'ai traversé le mur du bloc et de l'hôpital pour me rendre chez mes parents qui pleuraient. Mon frère était aussi avec eux et cela m'a beaucoup étonnée de le voir là car il était depuis longtemps fâché avec papa et maman et refusait de les voir. Le plus fort, c'est que j'appris ensuite

10. BLUM J., *La science devant la survie de l'âme NDE expérience*, éd. Alphée, 2010, p. 42.
11. MORZELLE J., *op. cit.*

que mon frère était bien avec mes parents à ce moment-là. (Extrait du récit de Geneviève Rodriguez).

Comment un cerveau défaillant pourrait-il reconstituer une histoire dont il manque la plupart des éléments ? Où serait dans ce cas située l'information ? Le plus simple serait donc bien d'admettre l'existence d'une conscience délocalisée lors de l'expérience ; on conviendra volontiers qu' il n'existe pas une explication plus logique que celle-ci.

La rencontre avec les défunts

Il arrive très souvent que les sujets rencontrent des parents ou des amis défunts pendant leur NDE. Le plus troublant, c'est que dans certains cas ils ne savent pas au moment de l'expérience que ces connaissances étaient déjà décédées ! Ils n'en reçoivent la confirmation qu'à leur retour[12] ! Il est évident que cette étonnante information ne peut être donnée par le biais d'une hallucination.

12. BLUM J., *La science devant la survie de l'âme NDE experience*, éd. Alphée, 2010, p. 67.

Plus surprenant encore, le cas de Mathieu Meilleur qui a aussi rencontré au cours de sa NDE une entité qu'il ne connaissait absolument pas. Plusieurs jours après son expérience, sa petite amie lui montre « par hasard » la photo de son ancien compagnon tué dans un accident de moto. Mathieu Meilleur reconnaît tout de suite le malheureux motard comme étant l'entité qui s'était présentée à lui dans sa NDE !!!

Les NDE chez les aveugles

Autre argument pour contrecarrer la thèse hallucinatoire : les aveugles sont en mesure de donner des informations visuelles relatives à leur réanimation. Que leur handicap soit congénital ou acquis, ils trouvent ou retrouvent la vue pendant leur NDE. Plusieurs chercheurs[13] se sont penchés sur cette incompréhensible performance sans pouvoir en

13. RING K. and COOPER S. *Near-death and out-of-body experiences in the blind : a study of apparent eyeless vision.* Journal of Near-Death Studies, vol. 16 (1998) et *Mindsight : Near-death and out-of-body experiences in the blind*, éd. William James Center for Consciousness Studies, 1999.

donner la moindre explication. Comment serait-il possible de « voir sans les yeux » ?

Lorsque l'on m'interroge sur les NDE pour des documentaires ou des reportages télévisés, il apparaît systématiquement après mon intervention un confrère psychiatre, neurologue ou réanimateur qui contredit mes conclusions sur l'hypothèse d'une conscience délocalisée en défendant la thèse hallucinatoire du cerveau défaillant. Il est amusant de constater que le journaliste présente généralement mon collègue contradicteur par un péremptoire : « Voyons maintenant quel est l'avis d'un scientifique ! » alors que ledit « scientifique » a fait les mêmes études universitaires que moi et que je m'intéresse au sujet depuis beaucoup plus longtemps que lui. C'est à croire que pour le commentateur en question, un médecin réanimateur qui évoque l'existence d'une conscience délocalisée ne peut pas être un scientifique !

Ils sont bien revenus de la mort !

Les sujets qui ont vécu ces expériences sont bien revenus de la mort.

La mort clinique est définie par l'arrêt du fonctionnement cérébral. Cet état peut être objectivé par l'enregistrement d'une activité électrique neuronale nulle ; électroencéphalogramme (EEG) plat. Lorsque l'on obtient deux EEG plats à quatre heures d'intervalle pendant au moins vingt minutes – en dehors des conditions de narcose (produits administrés en intraveineux pour faire dormir) ou d'hypothermie –, on considère que la mort clinique est devenue irréversible. Dans ces conditions, on est en mesure de débrancher le patient du respirateur ou de lui prélever ses organes pour des dons. En fait, cet état correspond à nos limites actuelles de réanimation et il est probable que d'ici quelques décennies, celles-ci soient complètement dépassées. Il ne faut pas oublier que les médecins des générations précédentes ne pratiquaient pas les massages cardiaques et se contentaient de signer un certificat de décès chaque fois qu'un cœur cessait de battre.

Depuis peu, nous savons qu'un EEG devient plat dans les quinze secondes qui suivent un arrêt cardiaque. Étant donné que dans les meilleures conditions de surveillance – comme c'est le cas en soins intensifs –, il existe une période incompressible d'au moins une minute pour porter les premiers secours, on peut considérer que toutes les victimes réanimées après un arrêt cardiaque ont bien connu une mort clinique. Et c'est sans compter les personnes isolées à la campagne dont les cœurs sont repartis au bout de plusieurs dizaines de minutes après l'intervention du SAMU le plus proche !

Nos études ont montré qu'environ 18 %[14] des sujets réanimés d'un arrêt cardiaque racontaient la fameuse expérience décrite au début de ce chapitre. Les termes de *near death experience* (NDE) employé par les Anglo-Saxons depuis les années soixante dix, d'expérience de mort imminente (EMI) ou encore d'expérience aux frontières de la mort (EFM) sont par conséquent aujourd'hui

14. VAN LOMMEL P., VAN WEES R., MEYERS V. and ELFERICH I. *op. cit.*
GREYSON B., *Incidence and correlates of near-death experiences in a cardiac care unit.* General Hospital Psychiatry, Vol. 25 (2003).

complètement dépassés. Il est désormais plus juste de parler d'expérience de mort provisoire (EMP). La mort clinique est en effet déjà là quand les patients sont réanimés puisque l'activité cérébrale est nulle dès le moment du premier massage cardiaque. Le propriétaire d'un cœur arrêté n'est pas « proche de la mort » ni « aux frontières de la mort » ou en « état de mort imminente » ; il est déjà mort et souvent depuis de nombreuses minutes !

Je connais par cœur le discours de mes détracteurs qui me disent : « Ces gens n'étaient pas morts puisqu'ils sont revenus ! » ou encore « Ce n'est pas parce qu'il n'y a aucune activité électrique décelable que le cerveau ne fonctionne plus. Il existe peut-être une activité résiduelle que nous sommes encore incapables de mesurer ! »

Sur le premier point, la réponse est facile. La définition de la mort clinique est sans équivoque et nous avons désormais la preuve objective qu'un cœur arrêté signe en moins d'une minute l'arrêt de toute activité cérébrale décelable. Les sujets sont revenus de ces états de mort clinique parce que des réanimateurs sont allés les chercher. Si personne ne les avait réanimés, ils ne seraient jamais revenus ! N'en déplaise à beaucoup, ils ont bien connu la mort et 18 % d'entre eux nous racontent un voyage presque en tous points identique.

En ce qui concerne l'activité cérébrale résiduelle indétectable, même si l'on suit cette proposition difficilement opposable, il n'en demeure pas moins qu'elle n'explique en rien comment en période d'arrêt cardiaque, un cerveau aussi déficitaire serait en mesure de produire un état de conscience plus performant que lorsqu'il se trouve dans les situations habituelles de bon fonctionnement ; possibilité de déplacement dans le temps et dans l'espace, traversée de murs, télépathie, etc.

Soixante millions de personnes revenues de la mort auraient donc la possibilité de nous décrire l'au-delà. Au milieu de tous ces récits fantastiques se glisseront nécessairement les discours d'illuminés ou de charlatans qui tenteront d'exploiter le filon. À nous de savoir les identifier avec un maximum de vigilance, de prudence et de discernement. Les preuves scientifiques d'une vie après la vie ne reposant que sur des témoignages, la plus grosse difficulté sera de trouver les outils pour dédouaner les impostures.

La plupart des médecins pensent que le cerveau est une sorte de glande qui sécrète de la conscience comme le pancréas produit de l'insuline, si bien qu'il leur est totalement impossible de concevoir qu'au moment où cet organe cesse de fonctionner, une conscience soit encore possible. Le cas unique et incontestable rapporté dans le chapitre suivant démontre formellement le contraire. Ce phénomène hors du commun observé lors d'une opération du cerveau révolutionne tous nos paradigmes sur la mort. Il a fait l'objet d'une publication le 15 décembre 2001 dans la très sérieuse revue à comité de lecture « The Lancet »[15]. Cette revue n'a rien d'ésotérique, et pourtant, l'article en question rédigée par le cardiologue Pim van Lommel prouve qu'une conscience, et donc une vie, est encore possible après une mort cérébrale avérée ; cette donnée à elle seule nous plonge dans un abîme de réflexions sur ce qui pourra nous arriver au moment de notre mort.

---

15. Voir également le *Journal of Near-Death Studies*, vol. 25, n°4 (2007) entièrement consacré à ce cas.

LA DEUXIÈME BONNE RAISON :

Un cas unique difficilement contestable

« Tels sont les hommes peu instruits, que leur faiblesse d'esprit empêche d'embrasser et de comprendre l'adaptation et l'accord universel de toutes choses. »

Saint Augustin,
L'Ordre, I, 2

Morte deux fois

Pamela Reynold décéda le 29 mai 2010 à l'âge de 53 ans, soit dix-neuf ans après une première mort clinique induite médicalement par une équipe chirurgicale à la seule fin d'extraire un volumineux anévrisme logé dans son tronc cérébral.

Le Dr Robert Spetzier hésita longtemps avant de tenter cette opération de la dernière chance. Les risques étaient énormes mais en s'abstenant de pratiquer cette intervention, la jeune femme était condamnée à très court terme ; sa tumeur vasculaire, logée à la base de son cerveau, était une véritable bombe à retardement qui en grossissant pouvait exploser à tout moment. Alors, avait-on vraiment le choix ?

La préparation de l'opération de Pamela Reynolds mérite d'être détaillée car elle montre à quel point son cerveau était inactif au moment de l'extraction de la malformation vasculaire. *L'arrêt circulatoire hypothermique*[1] dont elle bénéficia est une technique employée que très rarement, dans des cas d'extrême gravité, car beaucoup de patients ne peuvent pas supporter un tel bouleversement hémodynamique et meurent avant la fin de l'intervention. Il s'agit en fait de dévier la circulation sanguine à l'extérieur du corps du patient pour vider de tout son sang la région

1. Appelé aussi ***Standstill operation***.

à opérer ; en l'occurrence le cerveau, dans le cas qui nous intéresse. Tout ceci devant impérativement se dérouler en hypothermie pour supprimer les lésions cérébrales irréversibles qui surviendraient dans les cinq minutes suivant l'arrêt de la circulation cérébrale.

Après avoir anesthésié Pamela Reynolds avec une forte doses de barbiturique, on dévia sa circulation sanguine à l'extérieur de son corps en abaissant progressivement sa température jusqu'à atteindre le chiffre record de 15,5 °C. Une fois la circulation cérébrale stoppée, on inclina fortement la table chirurgicale sur laquelle la patiente était installée de manière à ce que son cerveau ne contienne plus une seule goutte de sang. Comme on pouvait s'y attendre, l'EEG devint rapidement plat et le resta pendant près d'une heure. L'intervention se déroula sans problème majeur. Une fois l'anévrisme enlevé, il ne restait plus qu'à patienter jusqu'au réveil complet pour connaître l'état neurologique de l'opérée. La première surprise fut de constater que Pamela ne présentait pratiquement aucune séquelle de cette mort cérébrale provoquée. Mais la seconde fut encore plus stupéfiante ; son état de mort clinique avéré, contrôlé et au demeurant incontestable ne lui avait aucunement interdit de percevoir tout ce qui s'était passé autour d'elle pendant l'opération ! Oui, avec un cerveau totalement hors service, elle avait été en mesure de voir, d'entendre et de comprendre les moindres détails de sa chirurgie !!! Une prouesse tout simplement impossible si on considère que la conscience est fabriquée par le cerveau.

Son époustouflant récit a de quoi faire bondir d'indignation n'importe quel scientifique matérialiste :

“J'ai entendu un bruit mécanique et ça m'a fait penser à la fraise du dentiste. Je suis alors sortie par le haut de ma tête. Dans cet état, j'avais une vision extrêmement claire de la situation. J'ai remarqué que mon médecin avait un instrument dans la main qui ressemblait à une brosse à dents électrique. Il y avait un emplacement en haut qui ressemblait à l'endroit où on met l'embout. Mais quand je l'ai vu, il n'y avait pas d'embout. J'ai regardé vers le bas et j'ai vu une boîte ; elle m'a fait penser à la boîte à outils de mon père quand j'étais enfant. C'est là qu'il rangeait ses clés à douilles. À peu près au moment où j'ai vu l'instrument, j'ai entendu une voix de femme. Je crois que c'était la voix de ma cardiologue. Elle disait que mes veines et mes artères

étaient trop étroites pour évacuer le sang et le chirurgien lui a dit d'utiliser les deux cotés. Je ne suis pas restée là très longtemps. J'ai soudain senti une présence et quand je me suis retournée, j'ai vu un minuscule point lumineux. Il semblait très éloigné et quand je m'en suis approchée, j'ai entendu ma grand-mère m'appeler. Je suis aussitôt allée vers elle et elle m'a gardée tout près d'elle. Et plus je me rapprochais de la lumière, plus je commençais à voir des gens que je reconnaissais. J'étais impressionnée par le fait que ces gens avaient l'air merveilleux. Ma grand-mère n'avait pas l'apparence d'une vieille femme ; elle était radieuse. Tout le monde avait l'air jeune, sain et fort. Je dirais volontiers qu'ils étaient de la lumière, comme s'ils portaient des vêtements de lumière et comme s'ils étaient faits de lumière. Je n'ai pas été autorisée à aller très loin ; ils me gardaient très près d'eux. Je voulais en savoir plus sur la musique, sur le bruit d'une chute d'eau, sur les chants d'oiseaux que j'entendais et savoir pourquoi ils ne me laissaient pas aller plus loin. Ils ont communiqué avec moi. Je n'ai pas d'autres mots pour expliquer cela parce qu'ils ne parlaient pas comme vous et moi ; ils pensaient et j'entendais. Ils ne voulaient pas que j'entre dans la lumière. Ils disaient que si j'allais trop loin, ils ne pourraient plus me relier à mon moi physique. Mon oncle m'a ramenée en bas à travers le tunnel et pendant tout le voyage, j'ai intensément désiré retourner dans mon corps.

Cette idée ne me posait aucun problème. J'avais envie de revenir vers ma famille. Puis je suis arrivée à mon corps. Je l'ai regardé et franchement il avait l'air d'une épave. Il avait l'air de ce qu'il était : mort. Et je n'ai plus voulu y retourner. Mon oncle m'a communiqué que c'était comme sauter dans une piscine : « Vas-y, saute dans la piscine ! » J'étais toujours réticente à le faire. Et puis il s'est passé une chose que je ne comprends toujours pas aujourd'hui : il a accéléré mon retour dans le corps en me donnant une sorte de coup comme quand on pousse quelqu'un dans une piscine. Quand j'ai touché le corps, c'était comme si j'étais tombée dans un bassin d'eau glacée et je n'oublierai jamais ça.

En dehors de l'émouvante description de l'au-delà faite par Pamela Reynolds, les précisions qu'elle donne sur les détails de son opération fournissent tous les ingrédients de la plus grande énigme scientifique. Qui a-t-il après la mort ? Que devenons-nous ? Où allons-nous ? D'où venons-nous ? Ces sempiternelles questions essentielles qui surgissent dans nos esprits dès l'âge de sept ans et que nous tentons d'oublier ensuite par toute sorte de « distractions » sans jamais y parvenir vraiment.

Pamela Reynolds a été capable de décrire l'instrument chirurgical utilisé pour l'opérer alors qu'elle se trouvait dans un coma très profond. Idem pour le coffre métallique d'instruments qui ressemble effectivement à une boîte à outils dont l'épaisseur conséquente interdit de visualiser le contenu sans se trouver très au-dessus du plan opératoire. De plus, Pam a pu rapporter avec exactitude la conversation entre le cardiologue et le chirurgien au moment où ses vaisseaux sanguins étaient trop plats pour y introduire les canules d'aspiration. Et tout ceci au moment où son cerveau ne fonctionnait plus. Cela veut donc dire que cette patiente a vu sans ses yeux, entendu sans ses oreilles et compris sans son cerveau ! Oui, mais alors avec quoi ? Comment ?

Tout ne devient-il pas plus simple si on admet que la conscience se trouve à l'extérieur du corps lorsque le cerveau s'arrête de fonctionner ?

Ce que disent les détracteurs

L'EEG de Pamela était plat, mais cela ne veut pas dire qu'il n'y avait pas une activité résiduelle non mesurable.

Faux, car il faut rappeler que la température corporelle de la patiente a été ramenée à 15,5 °C et on sait que dans ces conditions, il n'existe aucune possibilité d'avoir le moindre échange biochimique entre deux neurones. Tout fonctionnement cérébral était donc totalement exclu.

° ° °

La sensation de sortie de corps de Pamela était secondaire à une stimulation du lobe temporal droit induit par un manque d'oxygène relatif à la baisse de pression sanguine artérielle cérébrale provoquée par l'anesthésie, l'hypothermie et la vidange sanguine.

Faux, car une stimulation du lobe temporal droit aurait parfaitement été détectée. Il faut rappeler que l'EEG est resté totalement plat pendant une heure et en particulier au moment où les instruments chirurgicaux étaient sortis sur le présentoir.

° ° °

Le contenu du coffre à outils chirurgicaux a pu être visualisé par Pamela au moment où on a incliné la table opératoire vers le haut pour réduire par déclivité sa perfusion cérébrale.

Faux, car au moment des manœuvres de déclivité, Pamela était déjà profondément endormie par des barbituriques et avaient les yeux clos par du sparadrap sur les paupières.

° ° °

Pamela a pu entendre des bruits évocateurs d'outils qui lui ont rappelé inconsciemment la caisse à outils de son père et une brosse à dents électrique. Son cerveau a ensuite reconstitué dès son réveil ces images enfouies dans sa mémoire. Elle a pu aussi entendre de la même façon la conversation du chirurgien avec le cardiologue.

Faux, car le potentiel évoqué auditif (PEA)[2] mesuré pendant l'intervention de Paméla était aussi plat que son

2. Le PEA permet de savoir si une stimulation sonore est correctement reçue par le cerveau ; ce test sert à détecter des pathologies tumorales du nerf acoustique ou des surdités congénitales. Dans le cas de Pamela Reynolds, le PEA permettait aux opérateurs de suivre son activité cérébrale.

EEG ; il lui était donc totalement impossible de percevoir le moindre son au niveau cérébral. De plus, il n'y avait ni musique ni chants d'oiseaux ni bruit de chute d'eau dans le bloc opératoire. Toutes les perceptions visuelles et auditives d'origine cérébrale auraient dû être objectivées sur l'enregistrement électrique du lobe occipital (aire visuelle) ou par le PEA (étudiant la conduction électrique entre le nerf auditif et le cerveau).

° ° °

Pamela a dû entendre pendant qu'on l'opérait des bruits divers qu'elle a interprétés comme étant de la musique ; le bistouri électrique émet des sons aigus qui ressemblent à des chants d'oiseaux, la circulation de son sang dans les tubulures extracorporelles peut être confondue avec des chutes d'eau.

Faux, aucun de ces bruits n'a pu être entendu par Pamela dans ces conditions d'arrêt circulatoire, comme l'atteste son PEA qui est resté rigoureusement plat pendant son opération. Le bruit continu envoyé dans les oreilles de Pamela pour mesurer son PEA lui interdisait de toute façon de percevoir l'environnement sonore dans lequel elle se trouvait.

° ° °

Pamela a pu visualiser les instruments chirurgicaux avant son endormissement ou au moment de son réveil et croire que cette perception s'était produite pendant son opération.

Faux, au moment de son endormissement, les instruments chirurgicaux n'étaient pas encore installés sur la table opératoire. C'est toujours comme cela que l'on procède ; pour diminuer les risques infectieux, on retarde le plus possible la durée d'exposition du matériel chirurgical à l'air libre. De plus, au moment de pénétrer dans le bloc opératoire, l'anesthésie avait déjà été débutée. Cela n'a pas non plus pu se produire à la fin de l'opération puisque Pamela n'a été réveillée que bien plus tard, dans une autre salle éloignée du bloc opératoire, après avoir procédé à son réchauffement corporel.

° ° °

Ce seul cas de mort cérébrale avérée, provoquée et scientifiquement prouvée devrait être suffisant pour démontrer qu'une conscience est encore possible après la vie. Pourtant, il faudra certainement encore attendre de nombreuses années avant de pouvoir briser l'*omerta* qui interdit de faire circuler cette information jugée scandaleuse.

Pamela Reynolds est revenue d'une situation clinique aussi exceptionnelle qu'inconcevable pour nous raconter son voyage dans l'au-delà. Un voyage qui est souvent anticipé dans les minutes ou les secondes qui suivent le grand départ. En effet, celui ou celle qui va quitter ce monde vit fréquemment des choses surprenantes au seuil de la mort.

La troisième bonne raison :

Au seuil de la mort

« Il n'y a rien de plus grave que de croire qu'on sait ce qu'on ignore, et de défendre pour vrai ce qui est faux. »

Écrit apocryphe chrétien

Les comportements des mourants

Les services de réanimation et de soins intensifs sont ceux où l'on observe le plus de décès.

Les soignants qui travaillent dans ces unités assistent à des comportements spécifiques de celles et ceux qui sont sur le point de mourir.

J'ai regroupé ici un certain nombre de points communs qui se trouvent dans la plupart de mes observations, avec par ordre de fréquence décroissante :

1. Résignation tranquille devant l'imminence de la mort.

2. Sentiment de sérénité et de paix intérieure.

3. Exacerbation de la spiritualité ; invocations de divinités, récitations de prières.

4. Euphorie et curiosité à l'idée de découvrir un au-delà.

5. Visualisations de paysages magnifiques.

6. Visualisations de personnes décédées se trouvant au pied du lit.

7. Angoisse et peur à l'idée de mourir.

8. Terreurs difficilement contrôlables.

Je ne suis pas en mesure de quantifier ces huit caractéristiques par des chiffres ou des pourcentages rigoureux car cette classification repose uniquement sur une expérience personnelle de plus de vingt ans passée auprès de malades et de blessés hospitalisés en réanimation. Si je n'ai jamais comptabilisé ces différentes réactions devant l'imminence de la mort, je peux tout de même hiérarchiser leur fréquence approximative. J'ai fait lire cette liste à l'équipe de soignants du service de réanimation avec laquelle je travaille ainsi qu'à des collègues réanimateurs ou exerçant dans des unités de soins palliatifs. Ils sont unanimes pour valider la classification des phénomènes observés dans mon étude. La plupart avaient déjà constaté les réactions des mourants qui leur étaient proposées, mais très peu en avaient déjà parlé ; ce sujet restant, hélas, encore trop tabou dans le milieu médical. Pour être tout à fait complet, il faut préciser que dans la majorité des cas de fin de vie, on ne retrouve aucune de ces caractéristiques car les sujets sont à des stades de coma trop profonds pour être en mesure d'exprimer quoi que ce soit. Les réactions mentionnées en 7 et en 8 sont très exceptionnelles ; dans toute ma carrière, je n'ai le souvenir que d'une petite dizaine de patients terrorisés au moment de mourir. Pas plus. En l'occurrence, je repense à ce richissime homme d'affaire, qui, allongé sur son lit de douleur, rabrouait régulièrement avec hargne et méchanceté visiteurs et soignants. Pourtant, quelques secondes avant de pousser son dernier soupir, son comportement changea du tout au tout ; il demanda pardon à Dieu en pleurant les dernières larmes de son corps. Je revois encore son regard exorbité et le tremblement de ses lèvres qui murmuraient cette pitoyable quête. C'était comme s'il s'était brusquement trouvé devant quelque chose d'immense et de terrible.

Je rapporte ici de mémoire quelques réactions de mourants qui traduisent une calme et flegmatique acceptation devant l'imminence du grand départ ; la peur, la colère et la tristesse sont absentes au registre des sentiments exprimés :

“Je vais enfin savoir si Dieu existe.

°°°

“Je vais retrouver mes parents, mon mari et tous ceux que j'ai aimés.

°°°

“ Vous savez, docteur, de toute façon c'est très bien comme ça, j'ai fait mon temps ici et au fond de moi je ne suis pas mécontent de partir.

°°°

“ Tout à l'heure, j'ai vu ma mère au pied de mon lit. Je l'ai enterrée il y a aujourd'hui plus de dix ans. Elle était dans un halot de lumière. Je crois bien qu'elle est venue me chercher. Il me tarde de la revoir.

°°°

“ Toute ma vie et aussi loin que je me souvienne, j'ai toujours eu peur de la mort car je ne croyais en rien. Depuis ma petite enfance, j'ai eu une trouille bleue du moment de ma propre mort. J'ai toujours pensé que je ne

serais jamais assez courageux pour pouvoir l'affronter. Et maintenant que je suis arrivé à ce moment tant redouté, je n'ai absolument pas peur. J'ai enfin trouvé la foi. Il me tarde même de me retrouver devant Dieu.

Les ultimes paroles prononcées par ceux qui partent sont encore plus impressionnantes :

“Je m'en vais. Oh ! que c'est beau ! C'est magnifique !...

° ° °

“ Cet océan de fleurs qui s'avance vers nous, vous le voyez-vous aussi ? Hein, vous le voyez ?

° ° °

“On m'appelle, il faut que je parte...

° ° °

“ Mon Dieu, ils sont tous là, tous mes ancêtres sont là. Merci.

° ° °

“ Cette lumière blanche, que c'est beau ! Je n'ai jamais vu une lumière aussi belle et aussi blanche.

° ° °

J'ai également reçu de nombreux courriers de personnes qui ont accompagné les mourants. Voici quelques morceaux choisis :

“ Alors que je passais voir à l'hôpital mon amie, une personne lucide, psychologue de profession, pour qui la médecine ne pouvait plus rien, je l'ai vue soudain tourner la tête vers la droite pour regarder à côté de son lit un

visiteur invisible qu'elle nomma « papa ». Or, son père était décédé depuis plusieurs années.

Françoise B.

° ° °

“J'ai remarqué que bien souvent, au moment de la mort, certaines personnes disent voir des parents ou des amis décédés au pied de leur lit. C'est assez fréquent. Je crois que tous ceux qui travaillent comme moi en soins palliatifs connaissent ces choses-là, mais peu de gens en parlent.

Étienne H., infirmière dans une unité de soins palliatifs

° ° °

“ Quand maman est morte, à l'instant précis où elle a poussé son dernier soupir, elle a crié « André » en regardant le plafond. Mon papa s'appelait André. Il est mort

bien avant elle. Je connais suffisamment maman pour savoir que la personne qu'elle voyait à l'instant où elle a crié était bien papa. Elle avait un regard particulier quand elle était en face de lui.

Martine S.

° ° °

“Juste avant sa mort, ma grand-mère nous a demandé de regarder « l'ange lumineux » qui était soi-disant derrière nous. Elle a tellement insisté que, pour ne pas la contrarier, nous lui avons confirmé qu'on le voyait bien, nous aussi, mais en réalité aucun d'entre nous ne voyait quoi que ce soit !

Pascal V.

La sous-estimation de nos conventions

De notre vivant, il nous est bien difficile d'admettre l'existence d'une vie après la mort. En Occident, nous évoluons dans une société matérialiste, spirituellement sous développée, dans laquelle il est convenu de nous inculquer depuis notre plus jeune âge que la mort signifie le néant. Autrement dit, la vie étant étroitement dépendante de la matière, aucune existence ne semble possible lorsque la matière disparaît. Mais ceci n'est que pure convention car il n'y a aucune preuve rationnelle de cette croyance matérialiste. Et je défis quiconque de m'en fournir une seule ! Seulement voilà, notre éducation occidentale, dénuée de toute valeur spirituelle, nous a asséné cette pensée dominante difficilement contrôlable.

Nous sous-estimons l'impact des conventions sur notre façon de penser ; celui-ci est pourtant colossal. Supposons par exemple que je vous dise que la couleur rouge est en réalité jaune ; cela va vous paraître faux, ridicule et même absurde alors qu'en vérité, ce vocabulaire choisi est purement conventionnel. Dans notre conscient, sont fortement ancrées des vérités toutes faites, acquises par un long et fastidieux apprentissage transmis par plusieurs générations successives. Et si une information, telle qu'une preuve scientifique de l'existence d'une vie après la vie, vient contredire ce que nous avons appris, elle sera violemment écartée par notre inconscient ; il est plus facile de rejeter une nouvelle donnée perturbante en la niant que d'essayer de l'intégrer à nos connaissances. C'est pour cette raison que beaucoup d'Occidentaux ne peuvent accepter l'existence d'un au-delà.

Par contre, l'expérience m'a montré qu'au moment où la mort semble imminente et inéluctable, nous sommes tout à fait prêts à accepter une autre réalité, totalement différente de celle que nous avons toujours connue et soutenue ; une autre vérité qui intégrerait la notion de survivance dans une autre dimension. À quelques minutes de l'échéance, le plus incrédule devient croyant, le plus athée invoque Dieu. Cette constatation, faite par de nombreux soignants travaillant en réanimation ou en soins palliatifs, montre à quel point nos plus grandes certitudes peuvent subitement voler en éclats.

Léon et Gabriel

Notre vie terrestre pourrait être mise en parallèle avec celle d'un fœtus dans le ventre de sa mère.

Imaginons pour la démonstration la discussion de jumeaux flottant dans le liquide amniotique à la fin d'une grossesse. Appelons-les Gabriel et Léon. Léon est un matérialiste qui ne croit qu'à ce qu'il perçoit dans sa vie intra-utérine. Son frère Gabriel est spirituellement plus évolué et pense qu'une vie différente de celle qu'il subit depuis près de neuf mois est tout à fait possible. Ils communiquent par télépathie.

Léon : Tu crois qu'il existe une vie après la naissance ?

Gabriel : Bien sûr. Tout le monde sait qu'il y a une vie après la naissance.

Léon : Dans ce cas, qu'est-ce qu'on ferait ici, alors ? Cette vie intra-utérine serait stupide et complètement inutile !

Gabriel : Nous sommes ici en transit pour grandir et être assez forts. Nous nous préparons pour ce qui nous attend après.

Léon : Ouais, l'espoir fait vivre ! Tout ça, ce ne sont que des conneries ! Il ne peut pas y avoir une vie après la naissance !

Gabriel : Mais pourquoi donc ?

Léon : Parce que personne n'est revenu de cet utérus après sa naissance pour nous dire qu'une vie existait de l'autre côté. Si personne n'est revenu, ça veut dire qu'il n'y a qu'une seule vie possible et que c'est celle que nous vivons ici, un point, c'est tout !

Gabriel : Mais pourtant, il existe bien des signes d'une vie après la naissance, des choses qui prouvent que des événements se passent en dehors d'ici.

Léon : Ah bon ? Alors, dans ce cas, donne-moi un seul exemple de signe dont tu parles.

Gabriel : Par moments, j'entends des voix, des bruits et des sons mélodieux. Si tu es attentif, si tu écoutes bien, si tu te concentres et si tu penses que c'est possible, je suis sûr que toi aussi, tu pourras les entendre. Comme nous ne sommes que deux ici, ces sons ne peuvent venir que d'un autre monde parallèle au notre.

Léon : Mon pauvre vieux, je te plains, ton imagination travaille trop ! En fait, tu as tellement peur de disparaître au moment de ta naissance que tu t'inventes des trucs pour te rassurer. Et donc, tu hallucines ! Moi, je n'ai rien entendu d'autre que les bruits de nos déplacements dans ce liquide !

Gabriel : Il paraît que quand on passe de l'autre côté, on voit une grande lumière au bout d'un tunnel noir.

Léon : Ah oui, tu veux parler des NBE, les near bearth experiences, les expériences aux frontières de la naissance qui surviennent dans les menaces de fausses couches. Foutaises que tout cela !

Gabriel : Et après avoir traversé le tunnel et rencontré la lumière, nous verrons notre mère.

Léon : Ah bon ? parce qu'en plus, tu crois en une mère, toi ?

Gabriel : Oui, une mère qui prendra soin de nous et qui nous protégera car elle nous aime plus que tout.

Léon : Mais voyons, réfléchis un peu, ce que tu dis est absurde ! Si cette mère débordante d'amour existait vraiment, on le saurait ! Elle viendrait nous voir dans cet utérus ! Elle se montrerait ! Elle ne nous laisserait pas souffrir comme ça, dans cet endroit si petit et si noir !

Gabriel : Tu te trompes ; notre mère est partout autour de nous et nous sommes en elle. Nous vivons et nous déplaçons grâce à elle. Nous existons grâce à elle et à l'amour qu'elle nous porte.

Léon : Tu pètes les plombs, mon pauvre ! Tu ne vas quand même pas être comme tous ces illuminés qui croient en Mère !

Gabriel : Quand nous passerons de l'autre côté, elle sera là et elle nous prendra dans ses bras…

Léon : Mais tu n'existeras plus quand tu passeras de l'autre côté !

Gabriel : Qu'est-ce qui te fait dire ça ?

Léon : C'est ce cordon relayé à ton abdomen qui te fait vivre. Sans ce cordon, tu n'es plus rien et toute vie est impossible. Quand tu passeras de l'autre côté, ce cordon sera coupé. Tu n'auras plus aucun moyen de recevoir de l'oxygène et du glucose. Privé de ces deux éléments vitaux, tu mourras en moins de trois minutes ! Tiens, regarde, petite démonstration ; tu vas voir ce qui t'arrive si je plie ton cordon ombilical avec mes pieds, là !

Gabriel : AAAArrrrrrrrrr ! Gloups ! AAAAAAAAggggggg ! Arrêêêêêête ! J'étouffe ! AAAAAAh !

Léon : Ah, ah ! Tu vois gros malin ce que tu deviens en quelques secondes sans ce cordon. Tu deviens tout gris, tu meurs et tu n'existes plus, ah, ah !

Gabriel : AAAAAgggggggggggggg !

Léon : Voilà, voilà, ne t'énerve pas, je lâche. J'ai pas du tout envie d'avoir un avorton à côté de moi, rassure-toi. J'ai juste voulu te donner une petite leçon pour que tu restes les pieds sur le placenta. Je viens de te prouver scientifiquement que sans ce cordon, toute forme de vie est impossible.

Gabriel : Ouf, merci.

Léon : Pas de quoi !

Gabriel : J'ai bien crû que j'allais mourir !

Léon : Alors, tu es convaincu maintenant, j'espère ?

Gabriel : Hein ?... Convaincu de quoi ?

Léon : Et bien que sans ce cordon il est impossible de vivre, tout simplement !

Gabriel : Non, pas du tout !

Léon : Quoi ???

Gabriel : Je pense que ce cordon ne nous est indispensable qu'ici ; nous n'en aurons aucunement besoin quand nous serons de l'autre côté.

Léon : Pffff, j'abandonne, tu es vraiment irrécupérable !

Gabriel : Après notre naissance, nous pourrons nous déplacer dans des espaces infiniment plus grands que celui-ci. Nous aussi, nous grandirons. Notre vie, la vraie, ne commencera qu'à ce moment-là.

Léon : Tu es complètement dingue ! En attendant, écarte-toi un peu de moi, tu prends toute la place quand tu étends les bras.

Soudain, une violente pression s'exerce dans tout l'utérus. Léon et Gabriel sont ballotés dans tous les sens. Ils entendent nettement une grosse voix qui hurle : « Poussez, poussez, oui, oui, voilà, c'est ça, continuez, je commence à voir une tête ! » Le liquide dans lequel ils baignaient s'échappe en jets puissants.

Gabriel est heureux, il devine que ce bouleversement est le signe du départ d'une nouvelle vie qu'il pense merveilleuse. Léon est d'abord terrorisé puis, peu à peu, son visage crispé se détend et s'illumine d'un tendre sourire. Il passe l'obscurité du tunnel utérin et aperçoit une violente lumière.

Léon : Gabriel, Gabriel, tu m'entends toujours ?

Gabriel : Oui, Léon, je ne te reçois plus que très faiblement. Bientôt, nous ne pourrons plus communiquer de cette façon et nous aurons tout oublié de ce qui s'est passé dans cet utérus.

Léon : Je crois que tu avais raison, Gabriel. On va retrouver notre mère,

Il y a fort à parier qu'au seuil de la mort, le plus Léon d'entre nous croira aussi en Dieu.

La quatrième bonne raison :

Un esprit hors du corps

« Dès que j'entends parler de toutes ces stupides histoires de sortie de corps, ça me met hors de moi ! »

Un « Léon » parmi tant d'autres

À en croire les nombreux témoignages qui me parviennent par courrier ou à l'issue de mes conférences, les sorties de corps ne se produiraient pas exclusivement au moment des expériences de mort provisoire. Contrairement à ce que l'on peut penser, cette expérience est loin d'être rare ; selon l'étude la plus récente faite dans la population générale, 10 % des personnes interrogées déclaraient avoir éprouvé au moins une fois dans leur vie la sensation de se trouver hors de leur corps physique, de façon spontanée ou involontaire[1].

Le centre NOÊSIS de Genève

J'ai pris pour habitude d'adresser les personnes qui ont vécu des *décorporations*[2] aux bons soins de Sylvie Déthiollaz car, à ma connaissance, c'est la seule personne qui étudie scientifiquement avec sérieux et rigueur chaque cas qui lui est proposé. Cette jeune femme, docteur en biologie moléculaire, a créé en 1999 à Genève, après des études passées à l'université de Californie à Berkeley, Noêsis ; un centre d'étude et de recherche sur les états modifiés de conscience. Elle consacre beaucoup de temps et d'énergie à écouter et à encadrer, avec l'aide du psychothérapeute Claude-Charles Fournier, les gens qui ont vécu ce genre d'expériences. Le travail qui est fait dans cette structure

1. ALVARADO C.S., *Out-of-body experiences* in *Varieties of Anomalous Experience: Examining the Scientific Evidence*, American Psychological Association, 2000.
2. Terme employé pour définir les sensations de sortie de corps ; décorporation ou OBE (*out-of-body experience*).

de soins et de recherche unique en son genre mérite d'être encouragé. Dans la récente période de crise économique mondiale, Noêsis, victime d'une aveugle restriction budgétaire, a manqué disparaître à tout jamais et cela aurait été véritablement catastrophique pour toutes les personnes susceptibles d'être prises en charge dans cette institution unique en son genre. En effet, où s'adresser et à qui parler quand on a connu l'inconcevable ?

À propos de 3 témoignages

En ce qui me concerne, j'ai recueilli 124 témoignages de sortie de corps (SDC) se produisant en dehors des situations de mort imminente. Il est évident que je ne vais pas les exposer ici pour en faire un livre de 600 pages qui finirait par ennuyer très rapidement le lecteur tant les similitudes sont frappantes. Dans un premier temps, je donnerai simplement trois exemples très différents de récit de *décorporation* qui reflètent assez bien le phénomène. J'exposerai ensuite les résultats de mes recherches en regroupant les points communs aux 124 expériences.

Cas n°1 : L'histoire de Jacques D.

“Je suis ostéopathe parce que c'est la seule façon que j'ai trouvé pour soigner les gens de façon officielle en me servant de mon magnétisme. Cette nuit-là, j'étais allongé à côté de ma deuxième femme. Ni elle ni moi ne dormions. Je sentais qu'elle se faisait du souci et que c'était cette préoccupation qui l'empêchait de trouver le sommeil. Il était plus de trois heures du matin et son fils de seize ans qu'elle avait eu lors de son premier mariage n'était pas encore rentré à la maison. La sentant très anxieuse, je lui dis : « Ne t'en fais pas, je sors de mon corps et je vais le chercher ! » En moins d'une seconde, je me suis retrouvé devant lui. Il était dans un café et buvait des bières. Je l'ai regardé droit dans les yeux et je lui ai dit d'un ton très autoritaire : « Bon, maintenant ça suffit, tu a assez bu, tu rentres de suite à la maison ! De suite, tu m'entends !!! » Il regardait devant lui comme s'il pouvait me voir, mais il ne le pouvait pas bien sûr. Pour lui comme pour les autres, j'étais totalement invisible. Je savais qu'il allait m'obéir. Je suis revenu dans mon corps et j'ai dit à ma femme : « Ne t'inquiète pas, je l'ai vu, il va bien, il est dans un café, il va bientôt rentrer. » Effectivement, environ une demi-heure plus tard, on a entendu ouvrir la porte de sa chambre. Plus tard dans la journée, quand je lui ai demandé pourquoi il était rentré si tard à la maison sans

nous avoir prévenus, il m'a répondu : « Tu sais, papé Jacques, j'étais avec des copains et je n'ai pas vu le temps passer, sauf qu'à un moment donné, je me suis rendu compte d'un seul coup qu'il était très tard et alors je suis rentré. » Quand je lui ai dit que c'était moi qui étais venu le chercher en sortant de mon corps pour lui demander de rentrer à la maison, il s'est esclaffé en me disant que c'était complètement impossible. Mais quand je lui ai fait la description précise du café où il était et que je lui ai dit qu'à côté de lui, il y avait une table où un jeune couple se disputait violemment, sa tête a changé. Dans la soirée, il est venu me voir et m'a dit : « Papé Jacques, je te demande une chose, promets-moi que tu ne viendras jamais me voir quand je fais l'amour ! »

Cas n°2 : L'histoire de Pierre-Marc A.

“ Une expérience m'a particulièrement marqué dans les années soixante dix. J'ignorais alors absolument tout du phénomène qui allait me toucher. Je me reposais sur un lit, étendu sur le dos, lorsqu'une forme semblable à mon corps se sépara de moi, s'éleva lentement à la verticale et s'arrêta au voisinage du plafond. Ma conscience, mes pensées, se trouvaient dans la

tête de cette forme seconde. Je remarquai que, sans bouger la tête, je pouvais voir dans toutes les directions comme dans une sorte de vision sphérique. Pas de couleurs, pas de sons, mais le sentiment d'éprouver un bonheur infini. Il m'est impossible de fixer la durée de l'expérience. Puis cette forme bis de moi-même redescendit lentement et se réajusta, en coïncidence parfaite avec mon corps. Une fois revenu de ma surprise, je ne souhaitais qu'une chose : refaire cette expérience, retrouver ce bonheur infini. Malgré mes lectures, mes tentatives pour reproduire les conditions de ce dédoublement – j'appris qu'il se nommait sortie hors du corps ou OBE pour out-of-body experience – je ne suis parvenu à rien. Par contre, j'ai été bien convaincu que je n'étais pas un mais deux.

Cas n°3 : L'histoire de Georges F.

« Cher docteur, après beaucoup d'hésitations, je décide enfin de prendre mon stylo pour vous raconter ce que j'ai eu pendant mon anesthésie. Pardon pour mon écriture et pour les fautes d'orthographe. Je suis peintre en bâtiments et je n'ai pas comme vous l'instruction d'un écrivain. Je sais que vous êtes un homme ouvert et que ce que je vais vous écrire va peut-

être vous servir pour des recherches. [...] Dès que le produit pour l'anesthésie a été injecté dans mon sang, j'ai entendu un grondement suivi d'un sifflement comme pour le décollage d'une fusée. Je me suis alors retrouvé au plafond et j'ai vu les chirurgiens m'opérer. Un des deux chirurgiens était une femme rousse et l'autre un homme avec des petites lunettes rectangulaires. Après avoir ouvert la peau de mon ventre jusqu'au nombril, l'homme aux lunettes a dit à la femme d'à côté qu'elle n'avait pas caché assez ses cheveux étant donné qu'une mèche était sur son front. Elle s'est retournée vers une troisième personne qui lui a mis la mèche qui dépassait sous son bonnet. L'anesthésiste était tranquille, il n'avait pas l'air de s'en faire du tout, il lisait un journal sur sa chaise. À mon réveil, je lui ai demandé s'il n'avait pas eu un problème avec moi et il m'a répondu que non. Je lui ai demandé ça parce que je connaissais les histoires qui arrivent pendant les NDE. J'en conclue donc qu'on peut vivre une NDE sans être presque mort et même en parfaite santé. Qu'en pensez-vous ? Merci de me répondre.

° ° °

Ces trois exemples montrent que les SDC pourraient se produire soit volontairement et de façon contrôlée (cas n° 1), soit au contraire de manière fortuite et spontanée (cas n° 2) ou encore être provoquées par une administration de substances chimiques (cas n° 3).

Dans toutes les expériences décrites, les personnes ne sont pas en danger de mort et prennent conscience qu'elles sont sorties de leur corps ; elles sont persuadées qu'elles ne sont ni dans un rêve ni les victimes d'une hallucination. Le cas n° 1 est remarquable car Jacques D. a été en mesure de décrire la dispute d'un couple dans un café situé à plusieurs kilomètres de son corps physique. C'est la description de cette scène originale et inattendue qui a permis de faire voler en éclats le scepticisme de l'adolescent qui, convaincu de la réalité du phénomène, demande à son « papé » de ne pas lui rendre visite quand il fait l'amour.

Le cas n° 3 est tout aussi démonstratif. On peut difficilement concevoir comment un opéré serait en mesure de décrire ce qui se déroule de l'autre côté des champs opératoires sans avoir eu la possibilité d'un déplacement, en l'occurrence au-dessus de son propre corps allongé sur la table d'opération. L'aide opératoire, identifiée comme étant un deuxième chirurgien, s'est fait cacher les cheveux sous son calot par une tierce personne pour ne pas faire de faute d'asepsie. À moins d'être bien informé sur les pratiques classiques qui se déroulent dans les blocs opératoires, le béotien (peintre en bâtiments) ne peut imaginer une telle procédure.

Le cas n° 2 s'accompagne d'un sentiment de « bonheur infini» avec des capacités de vision omnidirectionnelle et la sensation « d'être deux » ; un esprit dissocié du corps de chair. Ce vécu ressemble beaucoup aux expériences transcendantes rencontrées dans les récits de mort provisoire.

Ce que disent les détracteurs

Comme on peut s'en douter, je n'ai eu aucune difficulté à trouver des confrères sceptiques sur la réalité des expériences de SDC. Je leur ai donné à lire ces trois témoignages pour observer leurs réactions et noter leurs éventuelles remarques ou argumentations. La majorité d'entre eux m'ont aimablement répondu qu'ils ne voulaient même pas examiner ces situations tant elles leur semblaient absurdes ou farfelues, d'autres se sont déclarés totalement incompétents pour pouvoir émettre le moindre avis, tandis qu'une minorité a fourni les hypothèses et suggestions que je rapporte ici.

Le « papé Jacques » a voulu impressionner l'adolescent en se doutant qu'il était dans un café qu'il connaissait parfaitement. En ce qui concerne la dispute, il n'y a rien d'exceptionnel d'avoir à assister à une chamaillerie dans un café. Ceci ne constitue donc pas une preuve.

Je ne suis pas d'accord avec cette analyse. Il m'arrive assez souvent d'aller prendre une consommation dans un café et je n'ai pas le souvenir d'avoir assisté une seule fois dans toute ma vie à la violente dispute d'un couple installé à une table voisine.

° ° °

Être convaincu d'être deux personnes à la fois comme dans le cas n° 2 est une maladie psychiatrique bien connue qui doit être prise en charge médicalement.

Avec ce genre de réaction, il n'est pas étonnant que les personnes qui vivent des expériences de SDC préfèrent ne pas en parler à leur entourage et encore moins à leur médecin. Celui ou celle qui ose franchir le pas prend le risque d'être enfermé dans un hôpital psychiatrique pour traiter un dangereux délire schizophrénique.

° ° °

Dans le cas n° 3, la personne opérée a pu voir ce qui se passait de l'autre côté des champs opératoires par l'intermédiaire du scialytique[3]. Le déroulement de l'intégralité d'une scène chirurgicale, comme l'histoire de la mèche de cheveux de l'aide-opératoire replacée sous le calot par une tierce personne, a pu être visualisé par ce biais.

Impossible, car pour visualiser cette scène sur les miroirs du scialytique, il aurait fallu que Georges ne soit pas endormi. Or il devait l'être puisque ce qu'il a « vu » s'est déroulé juste après l'incision de son abdomen.

3. Lampe centrale et orientable pourvue de petits miroirs périphériques destinés à focaliser la lumière sur le champ opératoire.

° ° °

Georges était peut-être paralysé par les curares mais pas suffisamment endormi, ce qui expliquerait sa possibilité de voir son opération sur les miroirs du scialytique.

Impossible aussi, car durant une anesthésie générale, on ferme toujours les yeux des opérés avec du sparadrap pour éviter une inflammation des globes oculaires. Si cette précaution n'est pas prise, une conjonctivite s'installe en moins de dix minutes. Le réflexe automatique de clignement des paupières que nous avons tous en période d'éveil est indispensable pour hydrater nos yeux et celui-ci disparaît chez le sujet anesthésié.

° ° °

Georges, insuffisamment endormi, a pu recevoir des informations auditives. Le chirurgien a pu faire remarquer à haute voix à son aide-opératoire que ses cheveux dépassaient de son calot et c'est ensuite

inconsciemment que Georges aurait recréé l'intégralité de la scène comme s'il l'avait vue.

Dans cette hypothèse, il lui aurait été impossible de savoir que l'aide-opératoire était rousse et de connaitre la taille de son incision abdominale qui allait « jusqu'au nombril ». Ces informations-là ne peuvent être données que visuellement.

Cette discussion à propos de ces trois cas démontre toute la difficulté de faire admettre un phénomène inexplicable. Bien que bouleversants et totalement irrationnels en l'état actuel de nos connaissances, les phénomènes de SDC n'en demeurent pas moins bien réels et il serait tout à fait malhonnête et illogique de vouloir les ignorer.

Résultats des 124 cas étudiés

1. Circonstances de survenue

Pour **84 %** des cas, la SDC est involontaire et spontanée. Elle survient la plupart du temps à l'occasion d'une forte émotion : accident de la route évité de justesse, annonce du décès d'un être cher, de la réussite à un examen, orgasme, etc. ou sans raison apparente.

Pour **8 %** des cas, elle est induite par une anesthésie générale, donc involontaire mais provoquée par l'injection d'un produit anesthésiant.

Pour **6 %** des cas, elle est volontaire et induite par des techniques de méditation : respiration holotropique, prières ou par l'administration de substances psychotropes comme le LSD, l'iboga, la kétamine ou l'ayahuasca.

Pour **2 %** des cas, elle est involontaire et induite par l'administration de substances psychotropes comme l'alcool, les neuroleptiques ou les anxiolytiques.

° ° °

92 % des SDC se déroulent en position allongée sur le dos.

Seulement **8 %** ont lieu dans une position différente : assis, en station debout, à plat ventre, en position dite « de lotus », pendant une marche, une course (un cas pendant un marathon), une épreuve de natation.

° ° °

96 % des SDC se passent dans un état de profonde relaxation.

4 % surviennent au cours d'une activité physique intense : course à pied, marathon, acte sexuel, natation, rallye automobile, match de foot.

Le témoignage du joueur de foot est suffisamment original pour que je rapporte ici un extrait de son courrier:

“[...] Je venais d'avoir le ballon et je devais passer 5 joueurs pour marquer. C'est à ce moment-là que je suis sorti de mon corps et que j'ai parfaitement vu les déplacements de tous les joueurs, même ceux qui étaient derrière moi. Je me voyais aussi puisque j'étais au-dessus de moi. J'ai pu passer les 5 joueurs sans difficulté puisque je savais où ils voulaient aller puisqu'en même temps que j'avançais, je lisais leurs pensées. J'ai traversé la défense comme dans du beurre et j'ai tiré pour marquer. Quand j'ai tiré, j'ai vu la trajectoire du ballon au ralenti, c'était super et splendide. Grâce à ce but, mon équipe a été qualifiée. Ma sœur, qui s'intéresse à vos recherches, m'a conseillé de vous écrire. Je l'ai fait parce que j'adore ma sœur, mais je vous demande de ne pas donner mon nom si vous parlez de mon cas car je n'ai pas envie qu'on me prenne pour un barge...

2. Croyance en un au-delà et à une vie après la mort

Après leur expérience :

65 % disent croire à l'existence d'une vie après la mort et/ou en un au-delà.

35 % ne s'expriment pas spontanément sur ce sujet.

0 % dit ne pas croire à l'existence d'une vie après la mort et/ou en un au-delà.

3. Perception agréable ou pas de l'expérience

74 % ont trouvé la SDC plutôt agréable et souhaite renouveler l'expérience.

26 % ne s'expriment pas spontanément sur le sujet.

6 % ont trouvé l'expérience plutôt désagréable, voire extrêmement désagréable et ne souhaitent pas la renouveler.

4. Moyenne d'âge

La moyenne d'âge est de **38 ans** au moment de l'expérience dans l'échantillon où celui-ci est précisé.

Les deux âges extrêmes sont **13 ans** et **84 ans**. Il ne semble donc pas y avoir de prédisposition particulière en fonction de l'âge.

5. Sexe

78 % de femmes et **22 %** d'hommes dans cette étude. Mais cette surpopulation féminine ne semble pas significative car j'ai aussi d'avantage de lectrices que de lecteurs dans mes courriers.

6. Milieu socio-culturel

Il ne semble pas intervenir de façon significative. Un ouvrier agricole peut être aussi bien concerné qu'un cadre supérieur.

7. Religion

Elle ne semble pas intervenir de façon significative et n'est d'ailleurs que très rarement exprimée dans les courriers que j'ai reçus.

8. Répétition de l'expérience

62 % ne précisent pas si la SDC a pu être répétée.

25 % ont eu plusieurs SDC.

13 % n'ont eu qu'une SDC dans toute leur vie.

9. Désir de communiquer son expérience

100 % des personnes qui m'ont contacté désirent faire connaître leur expérience, mais une majorité d'entre elles préfèrent rester dans l'anonymat de peur d'être prises pour des malades mentaux.

°°°

Au total, on peut dire que l'expérience de sortie de corps produite en dehors des EMP est un phénomène vécu comme étant authentique et non pas assimilé à un rêve ou à une hallucination. La SDC donne majoritairement la certitude pour celle ou celui qui la vit d'être un esprit incarné dans un corps. Je n'ai encore rencontré aucune personne ayant vécu une *décorporation* qui assimilait la mort au néant absolu ; la plupart exprimaient au contraire clairement leur croyance à une vie après la vie. Comme pour les expériences de mort provisoire, aucun facteur prédictif n'a pu être dégagé dans mon étude.

L'expérience des cibles cachées

Si la SDC est un phénomène réel et n'est pas secondaire à une hallucination, une conscience délocalisée serait en mesure de donner des informations visuelles situées à distance ; des détails précis impossibles à voir sans se déplacer. Les témoignages existants tendraient effectivement à prouver que la SDC n'est pas une hallucination.

Certains chercheurs ont voulu objectiver la réalité des sorties de corps dans les EMP en disposant des cibles cachées au-dessus de patients hospitalisés susceptibles de faire des arrêts cardiaques. Le 11 septembre 2008, le Dr Sam Parnia, médecin réanimateur à l'hôpital de Southampton (Grande-Bretagne) et le chercheur en neuroscience canadien Mario Beauregard ont présenté à l'ONU de New York leur projet « Aware » (*awareness during resuscitation*). Leur étude propose d'équiper vingt-cinq hôpitaux dans le monde de cibles cachées installées au-dessus de patients devant subir des arrêts cardiaques provoqués pour réaliser des interventions chirurgicales bien particulières. Les cibles étant des écrans plasma disposés horizontalement à l'extrémité supérieure de hautes colonnes verticales. Les fameux écrans étant orientés vers le plafond, il est donc totalement impossible dans ces conditions de pouvoir identifier les images aléatoires diffusées en continu si l'on se trouve à la place d'un patient allongé sur un plan opératoire. Totalement impossible, à moins de pouvoir sortir de son corps et de s'élever dans les airs !

Pour l'instant et à ma connaissance, seuls trois hôpitaux sont équipés de ce dispositif, dont un à Montréal, et aucun n'a donné le moindre résultat. Mon confrère réanimateur Jean-Pierre Postel, chef de clinique à l'hôpital de Sarlat en Dordogne et directeur de la recherche médicale du CNERIC (Centre national d'étude, de recherche et d'information sur la conscience) a lui aussi disposé une cible cachée dans son service de réanimation ; un petit écran de la taille d'un paquet de cigarettes enfermé dans une boîte scellée par huissier sur lequel défilent en continu des images aléatoires. Il n'a encore obtenu à ce jour aucun résultat probant. Il est vrai qu'il est encore trop tôt pour pouvoir en tirer des conclusions car ces expérimentations n'existent que depuis 2009. C'est à peu près à la même époque que furent installés des écrans plasma de télévision dans tous les box du service de réanimation dans lequel je travaille. Nous avons pris pour habitude de laisser fonctionner ces télévisions en permanence, au cas où. Bien que les écrans soient dans notre unité plus nombreux, plus grands et plus visibles qu'à Sarlat, nous n'avons obtenu aucun récit particulier de visualisation de programme TV en période de coma ou d'arrêt cardiaque.

Les limites de l'expérience

De mon point de vue, il semble peu probable que l'expérience des cibles cachées porte ses fruits au sein d'un service de réanimation classique et ceci pour plusieurs raisons :

1. La rareté des témoignages

Pour obtenir une expérience de SDC positive, il faudrait que le patient fasse un arrêt cardiaque (ce qui est malgré tout fort heureusement pas si fréquent que cela) et soit dans les 18 % de ceux qui font et racontent une expérience de mort provisoire. On sait aussi que seule une partie de ces 18 % est capable de décrire une SDC ; environ 40 % de ces 18 % dans mon étude et entre 30 et 70 % selon d'autres auteurs. Un autre point essentiel à ne pas négliger : la personne qui vit une telle expérience se confie rarement dans les jours qui suivent et met parfois des mois, voire des années avant de digérer un vécu qui reste somme toute très marginal. Et en parler au « corps médical » est encore une étape supplémentaire difficilement franchissable. Il est sûr que dans ce contexte, le médecin est certainement pour eux le dernier confident à envisager. La peur d'être psychiatrisé reste un frein énorme qu'il ne faut surtout pas sous-estimer.

2. Aucun récit de visualisation d'images TV dans les EMP

Sur les centaines de récits d'expériences de mort provisoire que j'ai collectés durant toutes ces années, je n'en ai pas obtenu un seul attestant la visualisation d'images télévisées ou d'ordinateur au cours de l'expérience. Pourtant, certaines de ces expériences se sont produites dans des chambres d'hôpitaux, dans des lieux publics (cafés, grandes surfaces) ou à domicile ; des lieux où les postes de TV allumés ne sont pas nécessairement absents. J'ai fait des recherches dans la littérature et je n'ai pas non plus trouvé un seul récit rapportant des images de film, de vidéo ou de télévision pendant l'EMP. J'ignore totalement la raison de ce résultat.

3. Le désintérêt apparent de l'expérienceur pour une image sur un écran.

À l'occasion d'une de mes conférences, j'exposais mes doutes sur l'efficacité des expériences des cibles cachées pour démontrer que les SDC vécues lors des EMP n'étaient pas des hallucinations, lorsqu'une jeune femme m'interpella. Elle avait vécu une SDC dans une salle de cinéma à l'occasion d'une rupture d'anévrisme cérébral et nous fit partager son expérience. Je rapporte ici le compte rendu écrit qu'elle a bien voulu m'adresser quelques jours plus tard.

“Je me souviens très bien du début du film « Le Grand Bleu », mais après plus rien. Je m'étais assoupie sur l'épaule de mon mari. Lui ne s'était pas inquiété car je faisais souvent ça quand on regardait ensemble la télé ou quand on était au cinéma. Je m'appuyais sur lui quand le film ou ce qu'on regardait m'intéressait. Ce n'était pas pour dormir que je faisais ça, mais c'était une attitude d'affection quand on partageait ensemble un moment fort. Ce soir-là, ce n'était pas du tout la même chose, je m'étais réellement endormie sur lui. Le film m'intéressait beaucoup mais j'avais tellement mal à la tête

que ce repos me soulageait. J'avais trouvé en dormant un truc pour stopper cette douleur qui m'écrasait le crâne. Je me souviens m'être dit : « C'est super, tu as trouvé le truc, pour arrêter ton mal de tête, il te suffit de dormir un peu. » J'étais bien, comme si d'un seul coup j'étais plongée dans un bain frais quand il fait très chaud dehors. Au bout d'un moment, j'ai voulu ouvrir mes yeux et me réveiller pour voir si j'avais réussi à faire complètement disparaître mon mal à la tête (et aussi pour continuer à regarder le film). Mais quand j'ai ouvert les yeux, ce n'était plus l'écran de cinéma qui était devant moi, mais ma petite personne. J'étais au-dessus de mon corps et je me voyais moi, assoupie sur l'épaule de mon mari. J'étais au-dessus de toute la salle de cinéma. J'ai voulu avertir mon mari que j'étais là-haut, les autres spectateurs aussi, mais pas moyen, je criais et m'agitais pour rien, personne ne m'entendait. J'ai essayé en vain de communiquer avec chaque personne du cinéma. Tout le monde semblait hypnotisé par le film, mais moi, je m'en moquais pas mal du film, je n'ai jamais désiré regarder l'écran. Je voulais qu'on sache que j'étais là-haut et que je voyais tout. La salle n'était pas éclairée, mais je voyais tout comme en plein jour. Je voyais la poussière sur les fauteuils, les trous de cigarettes sur le velours. Je voyais à travers les gens l'état des fauteuils. J'avais cette possibilité. Il suffisait de me concentrer sur quelque chose pour le voir. Je me suis rendue compte que le fauteuil sur lequel mon corps assoupi reposait portait le numéro 33 et je me suis dit : « C'est deux fois mon chiffre fétiche » (le 3 est mon chiffre fétiche). [...] Mon mari a alors remarqué que je respirais bruyamment, il m'a secouée pour essayer de me réveiller, mais en vain. Il s'est affolé, m'a allongé sur la banquette et a crié : « ma femme a un malaise, ma femme a un malaise ! » Les gens disaient : « Chut, chut ! » D'autres rouspétaient d'être dérangés. Puis, au bout d'un certain temps, toute la salle s'est éclairée pour qu'on me porte secours.

Ce témoignage montre que la comateuse n'a à aucun moment souhaité observer l'écran pendant sa sortie de corps, alors que le film qu'elle était en train de visionner la passionnait : *Je m'en moquais pas mal du film, je n'ai jamais désiré regarder l'écran*. Si, comme elle le prétend, en état de SDC, l'envie de regarder un film captivant sur un écran de cinéma disparaît totalement, on peut émettre des doutes sur celle d'observer une image aléatoire sur une surface cent fois plus petite qui se trouve, de surcroît, enfermée dans une boîte scellée !

4. Les perceptions « visuelles » de la conscience délocalisée ne passent ni par le cerveau ni par la rétine

Nous sommes certains de cela puisque, au cours des arrêts cardiaques, le circuit habituel de la vision est hors d'usage. Sans compter les témoignages des aveugles de naissance qui rapportent des informations visuelles au cours de leur EMP.

En temps normal, nous avons la possibilité de percevoir les informations venant d'un film projeté sur un écran ou d'un balayage électronique sur un téléviseur. Ces informations deviennent des images cohérentes par la conjonction de deux phénomènes physiologiques : l'*effet phi cérébral* et *la persistance rétinienne*. L'*effet phi* est la sensation visuelle de mouvement provoquée par l'apparition rapide d'images perçues successivement. Le cerveau comble l'absence de transition avec l'image la plus vraisemblable. *La persistance rétinienne*, quant à elle, nous permet de percevoir des images stables sur un téléviseur alors qu'elles ne sont émises que par intermittence. Les interruptions multiples et régulièrement répétées ne durant que quelques millièmes de seconde. Cette faculté rétinienne nous permet de ne percevoir aucun clignotement, mais au contraire une image nette et précise quand nous regardons un film au cinéma ou à la télévision. On peut donc raisonnablement se demander si en état de *décorporation* et débarrassée de toute fonction cérébrale et rétinienne, une conscience aurait la faculté de percevoir les images d'un écran de cinéma ou d'un téléviseur. Il y a de bonnes chances de penser qu'elle serait peut-être aussi « aveugle » que l'étaient autrefois les appareils photographiques devant les images télévisées.

5. L'absence de preuve n'est pas la preuve de l'absence

Le danger d'une expérience négative prolongée sur plusieurs années risque de discréditer le discours de ceux qui vivent une SDC et par extrapolation une EMP. Compte tenu des arguments que je viens de développer, il est possible que nous n'obtenions aucun résultat positif. Il ne faudrait surtout pas en tirer des conclusions hâtives, ce serait catastrophique pour celles et ceux qui vivent régulièrement ce genre d'aventures.

L'expérience a tout de même le mérite d'exister et je persiste, malgré tout, à laisser allumer les postes de TV dans les box de réanimation. On ne sait jamais.

La cinquième bonne raison :

Les perceptions mortuaires

« Ceux qui ont vu apparaître des parents décédés au pied de leur lit au moment de leur mort, ils n'étaient pas encore dans l'au-delà ni encore morts puisqu'ils pouvaient parler ! »

Un « Léon » parmi tant d'autres

Des ressentis partagés

Les perceptions mortuaires (PM) constituent un autre phénomène majeur et relativement fréquent, qui suggère fortement que la vie ne s'arrête pas au moment de la mort. Les récits des ressentis du départ de ce que l'on pourrait appeler « l'esprit » du corps au moment du décès par une tierce personne située à proximité ou à distance du défunt sont loin d'être exceptionnels et la majorité d'entre nous a entendu au moins une fois parler de ce genre d'histoire. Il est d'ailleurs probable que si je n'avais pas moi-même physiquement éprouvé la « fuite » au moment du décès de « quelque chose de vivant et de joyeux » par le haut du crâne du blessé que je tentais en vain de réanimer lors de cette fameuse garde en SAMU il y a aujourd'hui vingt-cinq ans de cela, je ne me serais probablement jamais intéressé à l'au-delà et je n'aurais jamais rien écrit sur le sujet[1]. Cette sensation très puissante de délivrance de l'esprit au moment de la mort fut, en ce qui me concerne, nécessaire et suffisante pour me faire comprendre sans aucune ambiguïté que la vie se poursuit en dehors de notre enveloppe corporelle bien après notre disparition terrestre. Je dis souvent lors de mes conférences : « Je ne pense pas que l'après-vie existe, je ne crois pas que l'après-vie existe, je le sais ! » Et je le sais surtout grâce à cette expérience si forte et si intense qu'elle a bouleversé toute ma vie en me faisant écrire neuf livres sur le sujet et en me faisant faire toutes ces conférences en France et à l'étranger pour soutenir la

1. Les détails de cette anecdote qui a bouleversé ma vie sont dans : CHARBONIER J.-J., *Les preuves scientifiques d'une Vie après la vie*, éd. Exergue, 2008, p. 22-23.

thèse de la survivance de l'esprit. C'est dire l'importance de ces perceptions mortuaires ! À ce propos, Sylvie Déthiollaz écrit fort justement dans son livre au sujet des NDE :

> *« Car soulignons au passage que beaucoup de ceux qui théorisent sur ces phénomènes n'en ont pas vécus et n'en ont par conséquent qu'une vision extérieure. Au même titre que les psychanalystes doivent avoir fait une analyse, les personnes qui étudient ces domaines ne devraient-elles pas au moins les avoir « touchés du doigt » d'une façon ou d'une autre ?* [2]

Le début de mon livre *La médecine face à l'au-delà*[3] est consacré aux perceptions mortuaires ; je raconte notamment l'histoire du Dr Jean-Pierre Postel (l'anesthésiste qui est à l'origine du projet des cibles cachées à Sarlat) qui, en

2. DETHIOLLAZ S., FOURRIER C.C., *États modifiés de conscience NDE, OBE et autres expériences aux frontières de l'esprit*, éd. Favre, 2011, p. 212.
3. CHARBONIER J.-J., *La médecine face à l'au-delà*, Guy Trédaniel Éditeur, 2010, p. 17-30.

assistant à l'agonie de son père dans un box de réanimation, s'est retrouvé dans le tunnel des NDE avec sa femme médecin et son fils infirmier. Alors qu'ils étaient tous les trois à son chevet, ils ont pu visualiser la même scène ; un brouillard s'est échappé du thorax du grand-père et ils ont eu le privilège d'assister à l'émouvant départ de son entité dans un tunnel lumineux. Mon ouvrage est sorti en octobre 2010, en même temps que le dernier livre du Dr Raymond Moody[4]. Sans nous concerter, nous avons traité du même sujet, seule son appellation est différente ; il qualifie « d'expériences de mort partagée » ce que je nomme « les perceptions mortuaires », mais il est évident que nous parlons du même phénomène.

Les PM à l'encontre des détracteurs

Il est important de souligner que ces perceptions mortuaires ne peuvent être secondaires à des phénomènes hallucinatoires imputables à des hypoxies ou à différents

4. MOODY R., *Témoins de la vie après la vie : Une enquête sur les expériences de mort partagée*, éd. Robert Laffont, 2010.

troubles métaboliques cérébraux comme peuvent le dire les détracteurs. Les personnes qui vivent ce genre d'expériences sont saines de corps et d'esprit et n'ont subi aucune maladie ou traumatisme crânien particulier, ce qui n'est bien sûr pas le cas dans les expériences de mort provisoire. Il est remarquable de constater que les vécus des personnes qui assistent un mourant peuvent être mis en parallèle avec ceux de celles qui sont revenues de la mort : vision de tunnel, de lumière, etc. Ceci est donc un argument supplémentaire pour dire que la visualisation du tunnel n'est pas secondaire à une hallucination induite par une souffrance hypoxique du lobe occipital.

À propos de 64 cas

Pour réaliser cette étude, j'ai regroupé tous les courriers qui m'ont été adressé relatifs à ces expériences de perceptions mortuaires. J'ai retrouvé 64 cas significatifs. Beaucoup offrent de nombreuses similitudes. Plutôt que de rapporter des extraits ou des morceaux choisis de tous ces récits, j'ai préféré les classifier pour les différencier, en dégageant leurs particularismes. Il serait en effet lassant de lire des témoignages qui se recoupent sur bien des points ; les seules singularités venant des modes d'expressions et des personnalités de leurs auteurs.

En lisant toutes ces histoires, on constate qu'elles peuvent être réparties en deux groupes : certaines expériences se sont produites à proximité du défunt et d'autres à distance. Pour bien différencier ces deux cas de figure, j'ai sélectionné deux témoignages : ceux de Marie Laure V. et de Raymond L.

Marie Laure V. : une perception mortuaire à proximité du défunt

"Quand maman est partie de l'autre côté, j'étais à ses côtés.

J'ai eu cette chance. Je vous raconte comment cela s'est passé. Je revois les choses comme si j'y étais encore dès que j'évoque ce moment. Maman était sur son lit. Je savais qu'elle n'en avait plus pour très longtemps. Sa respiration était de plus en plus lente et elle se refroidissait peu à peu. Nous étions au petit matin et j'étais restée toute la nuit avec elle dans sa chambre d'hôpital. Elle était inconsciente depuis plusieurs jours.

Les médecins avaient décidé de ne pas faire de soins trop pénibles car son cancer avait fini par gagner la partie. Elle avait simplement une perfusion avec des antidouleurs injectés avec une grosse seringue qui diffusait automatiquement et en permanence de la morphine. La veille, vers 16 heures, l'infirmière était venue accélérer le débit de la diffusion de la morphine en passant de la position 3 à la position 8. Elle m'avait prévenue que normalement maman allait partir en quelques heures. Alors, je suis restée. J'ai attendu toute l'après-midi. À 19 heures, j'ai appelé chez moi pour dire que je ne rentrerai pas diner, puis à 22 heures pour dire que je restais encore. Vers 23 heures, mon époux est venu m'amener des choses à manger, un thermos de café et une grosse couverture. Seule la couverture m'a servie. Je ne pouvais rien avaler. Il m'a proposé de rester avec moi mais j'ai refusé. Je préférais être seule avec maman pour lui parler, rire des bons moments que nous avions passés ensemble et pleurer aussi en toute liberté. Car je lui parlais. Je lui parlais par télépathie. Je me suis souvenu de vous, de votre conférence où vous nous disiez comment il fallait se comporter avec les mourants et les comateux. Ce que vous avez dit ce soir-là m'a beaucoup servi et je ne vous en remercierai jamais assez. Vers environ 5 heures du matin, ma respiration s'est synchronisée avec celle de maman et de la buée est sortie de ma bouche. Cette buée est devenue très dense et très abondante, elle a envahi toute la chambre. J'ai alors entendu un sifflement très aigu, puis un bourdonnement très grave, suivi par une musique magnifique et très curieuse, impossible à décrire. Je pensais être assise, mais je me suis retrouvée flottant à l'horizontale dans cet épais brouillard. Le brouillard ne donnait aucune possibilité de vision. Je sentais que je me déplaçais très vite et que je m'enfonçais dans un autre univers qui n'avait rien de commun avec la chambre où nous étions. Soudain, j'ai vu apparaître une main qui se tendait vers moi, je l'ai saisie aussitôt sans réfléchir. Le ou la propriétaire de cette main devait être dans la même situation que moi puisqu'il ou elle se déplaçait à la même vitesse. En tirant sur cette main, j'ai vu un bras émerger du brouillard, une épaule, puis un corps féminin dans un voile blanc, une chevelure, puis un visage souriant qui me regardait. C'était maman. C'était elle, mais beaucoup plus jeune et en pleine santé. Dès que je l'ai reconnue, elle a lâché ma main et a complètement disparu. Alors, tout le brouillard de la pièce s'est retiré et je me suis retrouvée assise comme au début, près de maman qui ne respirait plus. J'ai appelé l'infirmière. Maman venait de décéder.

Les perceptions mortuaires à proximité du défunt représentent 66 % des cas de mon étude

Sur les **42** cas étudiés :

31 avaient des perceptions visuelles sous forme de fumées, de brouillards, de silhouettes vaporeuses s'échappant du corps ou de formes lumineuses plus ou moins bien identifiées.

11 avaient des perceptions physiques ressenties comme des souffles (8 cas), des présences physiques (2 cas), des impressions tactiles (1 cas).

° ° °

Raymond L. : une perception mortuaire à distance du défunt

“Mon frère était un fumeur de pipe. Il avait en permanence une pipe avec lui. Sur toutes ses photos, il apparaît avec une pipe. Il en avait toute une collection, des droites, des courbes, de toutes les formes et de toutes les tailles. Il

voyageait beaucoup et quand il partait quelque part, il ne pouvait pas s'empêcher de rapporter avec lui une nouvelle pipe en souvenir du pays qu'il visitait. Connaissant son attrait pour cet objet, les gens lui en offraient en cadeau à la moindre occasion. Il les garnissait avec un tabac identique qui avait une odeur très spéciale que j'aimais respirer. Nous étions très complices avec mon frère. Nous ne passions pas plus d'une semaine sans nous appeler au moins une fois au téléphone. Souvent, au moment où je l'appelais, il me disait qu'il était en train de composer mon numéro de téléphone et inversement quand c'était moi qui l'appelais. Un jour, nous sommes arrivés chez des amis communs avec le même cadeau d'anniversaire que nous pensions pourtant original, c'était un porte-manteau acheté chez le même commerçant. Dans une discussion, il n'était pas rare de prononcer la même phrase au même moment. J'ai une multitude d'exemples de cet acabit qui prouve que nous avions entre nous des possibilités de télépathie. Ce jour-là, je conduisais depuis plus de deux heures ma voiture et, prise d'une brutale envie de dormir, je décidai de quitter l'autoroute en m'engageant sur une aire de repos pour prendre l'air et me dégourdir les jambes avant de repartir. Une fois sortie de ma voiture, j'ai senti que l'on m'enfonçait deux doigts dans mon dos comme le faisait mon frère quand il arrivait derrière moi par surprise pour me faire sursauter. J'ai aussi senti en même temps l'odeur du tabac de sa pipe et j'ai eu un très mauvais pressentiment, avec la sensation d'avoir les jambes coupées. J'ai regardé ma montre, il était 15 h 20. Plus tard, mon portable a sonné, ce n'était pas mon frère mais papa qui m'annonçait que mon frère s'était tué dans un accident de voiture au même moment où j'avais eu ce mauvais pressentiment.

Les perceptions mortuaires à distance du défunt représentent 34 % des cas de mon étude

Sur les **22** cas étudiés :

17 ont eu des intuitions, des malaises ou des sensations de perte d'énergie.

9 ont eu des visions particulièrement symboliques (1 cas, un crucifix et 1 cas, un stylo appartenant au défunt) ou pas (1 cas, une forme géométrique indéfinissable) ou des apparitions du défunt (6 cas).

3 ont eu des perceptions olfactives (1 cas, le parfum de l'eau de toilette du défunt, 1 cas, l'odeur du tabac que fumait le défunt, 1 cas, un parfum de rose)

3 ont eu des perceptions tactiles.

La somme des différents cas de perceptions à distance est supérieure à 22 car il existe des témoignages ou plusieurs phénomènes sont simultanés, comme dans l'exemple donné précédemment où coexistent une intuition (rarement absente), une sensation de perte d'énergie (fatigue au volant), une perception olfactive (l'odeur du tabac de pipe que fumait le défunt) et enfin tactile (pressions au niveau du dos).

Il faut savoir que les 64 témoignages proviennent de personnes équilibrées, socialement intégrées et sans aucun passé psychiatrique. Ici aussi, le milieu socioculturel, la religion, l'âge ou le sexe ne semblent pas influencer la survenue de l'expérience.

59 témoins ont exprimé avoir eu une croyance en l'au-delà renforcée après leur expérience et disent avoir été soulagés par rapport à la douleur du deuil, **5** témoins ne se sont pas exprimés sur le sujet. **Aucun** n'a prétendu que l'au-delà n'existait pas. **Aucun** n'a pensé avoir rêvé ou être victime d'une hallucination.

Au total, il faut retenir que l'expérience de perception mortuaire semble dans mon étude plus fréquente à proximité du défunt qu'à distance, que dans ce dernier cas, les intuitions de décès sont quasi constantes et que les apparitions existent mais restent exceptionnelles. Cette expérience renforce, dans la grande majorité des cas, la croyance d'une vie après la mort et apaise la douleur du deuil.

La sixième bonne raison :

La médiumnité

« Le jour ou un médium me donnera la combinaison du loto gagnant, alors là, je commencerai à peine à y croire ! »

Un « Léon » parmi tant d'autres

PM et médiumnité

Les perceptions mortuaires que nous venons de voir dans le chapitre précédent ou les expériences de mort partagées décrites par Raymond Moody peuvent être qualifiées de « phénomènes médiumniques ».

Le terme de médium a été – et continue à être – tellement galvaudé par des bonimenteurs et des charlatans en tout genre, que la seule prononciation de ce mot dans une conversation sérieuse vous classe d'emblée dans la catégorie des farfelus. Heureusement, les choses sont sur le point d'évoluer car les mentalités progressent et le monde des intellectuels modernes s'ouvre de plus en plus à la spiritualité. En effet, si on admet qu'une conscience délocalisée persiste après la mort et que le cerveau est un émetteur-récepteur de consciences, il devient logique de penser que certains récepteurs cérébraux sont plus performants que d'autres pour recueillir des informations. Nous sommes inégaux dans nos aptitudes et la médiumnité n'échappe pas à la règle. J'emploie souvent dans mes conférences une métaphore qui amuse l'auditoire : « Nous sommes tous médiums ; simplement certains sont plus doués et plus ouverts au monde spirituel que d'autres. Comme pour capter les émissions de télévision, beaucoup ont des antennes – râteaux pour recevoir les messages mais, hélas, la grande majorité d'entre nous les débranchent. Très peu sont connectés par le biais d'énormes paraboles qui trônent au dessus de leurs têtes ; ce sont ces privilégiés là que l'on appelle médiums. »

Le phénomène médiumnique

De tous temps, les êtres humains ont pensé obtenir la protection spirituelle de parents ou d'amis décédés, certains ont même parlé avec eux. Ce phénomène est possible soit directement, soit par l'intermédiaire d'un médium.

Les médiums sont des sujets réputés doués pour communiquer avec les morts dans le but d'obtenir des informations sur le passé, le présent, l'avenir ou bien encore sur les conditions de vie dans l'au-delà. Ils entrent en contact avec l'esprit d'un défunt, dans le cadre d'un rituel particulier, et transmettent aux vivants les messages dont ils sont les destinataires. Comme dans le cas des perceptions mortuaires que nous venons d'étudier, les informations médiumniques seront reçues par *clairvoyance* (apparitions), *clairaudiance* (voix entendues) ou *clairsentance* (sensations physiques). Ces trois types de réceptions pouvant être isolés, indépendantes ou simultanés.

On peut dire par exemple que le *Coran*, certains passages de la *Bible*, les *Védas* auraient été reçus en *clairaudiance* par des médiums qui auraient rédigé tous ces textes sacrés sous la dictée d'esprits divins.

Grâce au médium, un esprit peut aussi se manifester par des phénomènes physiques, le plus souvent par des déplacements d'objets, des mouvements de table, des coups frappés ou des matérialisations. Les parapsychologues, dont la pensée émerge des travaux spirites, regroupent sous la dénomination de *macrokinésie* ou *télékinésie* l'ensemble de ces interactions de l'esprit sur la matière. Quantité de preuves montrent que nous pouvons transmettre une énergie dont la source est extérieure à notre corps et la canaliser pour influencer notre environnement. Les médiums jouent les intermédiaires entre le monde des vivants et le monde des esprits grâce à une capacité de conducteur d'énergie qui est chez eux exceptionnellement développée. Pour être tout à fait complet, il faut aussi signaler la *médiumnité par incorporation*, qui s'observe surtout chez certains médiums spirites. Dans ce cas, le sujet est « habité » par l'esprit « visiteur » ; son apparence physique, sa gestuelle, sa voix et même les traits de son visage peuvent mimer à la perfection les caractéristiques du défunt. Cet épisode très spectaculaire ne laissera la plupart du temps aucun souvenir au médium *incorporé.* On peut considérer que *l'écriture automatique* est une forme d'incorporation partielle ; la main du médium étant dans ce cas complètement guidée ou habitée pour écrire des messages. À différencier de *l'écriture inspirée,* où le médium transcrit des informations reçues en toute conscience par l'émetteur-récepteur cérébral.

La médiumnité en salle

J'ai répondu favorablement à de nombreuses invitations pour faire des conférences sur les NDE dans des associations d'aide aux personnes en deuil. Celles-ci m'ont donné l'occasion d'assister à des dizaines de séances de médiumnité en salle. Le médium qui délivre des messages au public après l'intervention du conférencier entre en contact avec l'au-delà en désignant des personnes ciblées dans l'auditoire, soit directement, soit par l'intermédiaire de photos de disparus disposées devant lui. Malgré toutes ces années d'expérience, je reste toujours sidéré par la précision des signes de reconnaissance des disparus énoncés par certains médiums. Comment, par exemple, savoir qu'une maman a déposé un ours en peluche bleu dans le cercueil de son enfant avant de le mettre en terre ou qu'un militaire décédé est mécontent de savoir ses cendres exhibées dans la salle de séjour d'une veuve éplorée ? Comment des détails aussi précis que ceux-là peuvent-ils être connus autrement que par un contact direct avec l'entité disparue ?

Je me souviendrai toujours de la première fois où j'ai assisté à une séance de médiumnité en salle ; les signes de reconnaissance énoncés par le médium étaient tellement précis que je pensais avoir affaire à un numéro de music-hall avec de nombreux complices répartis dans le public. À l'époque, j'étais aussi « Léon » que la majorité de mes contemporains ; j'étais persuadé que tous les médiums étaient des escrocs et des charlatans ; ce qui est en soi tout de même formidablement étonnant étant donné que je n'avais jamais vu de ma vie un seul médium à l'œuvre ! C'est dire la puissance de nos préjugés et de nos *a priori* ! Donc, voilà quel était mon état d'esprit ce jour-là en écoutant la prestation de celui qui, en un instant, allait fissurer l'édifice de mes certitudes. Le médium s'adressa à moi et dit que ma maman était fatiguée, malade, mais qu'elle s'en remettrait très vite. Facile de déballer ça, me dis-je ; sachant que je venais pour une conférence dans cette association, le prédicateur avait dû faire sa petite enquête et apprendre que ma mère venait de subir une opération de la vésicule biliaire ; une intervention chirurgicale banale qui s'était du reste parfaitement bien déroulée. Mais c'était sans compter la suite de son discours, car lorsqu'il me donna des détails de ma vie passée que j'étais seul à connaître – comme par exemple le prénom de cette femme que j'avais aidée après son veuvage –, quelque chose en moi s'ébranla : et si c'était vrai ? Et si les médiums avaient la faculté de se connecter à une sorte de banque de données émergeant du passé ? Et s'ils étaient réellement en contact avec le monde des esprits qui n'est autre qu'un univers d'informations parfois accessibles ? Et si l'au-delà existait vraiment ? Aujourd'hui, je ne me pose même plus ce genre de questions car je sais que la meilleure façon d'intégrer tout ce que j'ai vécu en assistant à ces dizaines d'heures d'expériences médiumniques ne peut s'expliquer qu'en répondant positivement à ces interrogations.

Ce que disent les détracteurs

Je connais par cœur le discours de ceux qui dénigrent la médiumnité. Les arguments qu'ils rabâchent sans cesse sont toujours les mêmes ; ils se résument à discréditer l'action des médiums en dénonçant d'éventuelles supercheries qui leur permettraient de délivrer leurs messages, tout en pointant du doigt le côté commercial de leur travail. Ces polémistes sont en général des personnes qui ignorent totalement le phénomène et qui n'ont, pour la plupart, jamais assisté de leur vie à une seule séance de médiumnité, que ce soit en public ou en simple consultant. Il est par conséquent extrêmement facile de leur répondre pour leur démontrer la faiblesse de leurs démonstrations. Je précise encore une fois ici qu'il existe bien sûr au sein de la vaste confrérie des médiums de très nombreux escrocs et charlatans et qu'il convient évidemment de rester prudent. Mais il ne faut pas pour autant en tirer des conclusions hâtives en faisant des amalgames ; ces malfaisants existent dans tous les corps de métier, y compris dans le monde médical…

Voici donc les principaux griefs attribués à cette sulfureuse activité :

Les médiums empêchent les personnes qui ont perdu un être cher de faire leur travail de deuil.

Faux. Bien au contraire. Faire le deuil est accepter le départ de l'être cher, ce n'est certainement pas l'oublier. Il est de toute manière totalement impossible d'effacer de sa mémoire un passé chargé d'amour, d'affection ou d'amitié. J'ai vu des parents, totalement détruits par la perte d'un enfant, retrouver un équilibre psychique et abandonner des projets suicidaires après avoir reçu un signe de reconnaissance de leur petit amour passé de l'autre côté du voile grâce à un contact obtenu en médiumnité.

° ° °

Les médiums sont tous des charlatans qui exploitent la détresse humaine pour se faire de l'argent ; s'ils avaient vraiment reçu un don de Dieu pour aider les autres, ils ne devraient pas se faire payer.

Je ne suis pas du tout d'accord avec ce raisonnement. La vie est un don de Dieu. Nos capacités diverses et variées sont des dons de Dieu. Par exemple, avoir la capacité de faire de longues études difficiles pour devenir médecin est un don de Dieu ; devons-nous pour autant soigner les gens gratuitement ? Pour délivrer le plus de messages possibles aux gens quand on a la chance de pouvoir le faire, il faut se consacrer exclusivement à cela et le meilleur moyen pour remplir cet objectif est d'en faire son métier. Un médium qui pratique des prix raisonnables pour rendre service aux gens et qui vit de son art n'est absolument pas choquant. Les personnes qui prétendent que les vrais médiums sont ceux qui ne se font pas payer travaillent eux-même rarement bénévolement pour « aider les autres » !

° ° °

Les médiums sont de bons psychologues qui agissent à la manière des mentalistes. Ils adaptent leurs prédictions et leurs messages en fonction des réactions et des attitudes de leurs consultants.

Faux. Il suffit d'assister à des séances de médiumnité pour se rendre compte que certaines informations précises ne peuvent être obtenues de cette façon. Par exemple, la description d'un ours en peluche bleu glissé dans le cercueil d'un enfant.

° ° °

Les médiums puisent par télépathie les informations de leurs consultants.

Faux, car il existe des informations qui sont totalement ignorées du consultant au moment du contact et qui ne sont révélées à lui que bien plus tard. Le courrier de Pierre Jouais en témoigne :

"[…] Le médium insista une deuxième fois et me déclara :
« L'entité qui est à côté de vous a un casque en cuir avec des lunettes d'aviateur et il me montre un petit tableau sur lequel sont peints deux grands oiseaux, vous êtes sûr que cela ne vous dit rien ?… Non ? Bon, ça ne fait rien, vous chercherez et peut-être vous trouverez plus tard. »

Effectivement, en rentrant chez moi, ma mère m'apprit que l'aquarelle représentant un couple de flamants roses au bord d'un lac qui était dans sa chambre avait été offerte par un grand-oncle à elle qui était pilote dans l'aéropostale et qui s'était tué en vol lors d'une mission.

ooo

Les informations données par les médiums viennent exclusivement de leur propre inconscient.

Faux, car il existe des messages exprimés dans un dialecte totalement ignoré du médium ; ce phénomène s'appelle la *xénoglossie.* Dans ce cas, les informations ne peuvent évidemment pas venir de son inconscient.

Xavier Bartoroki en fit l'expérience au cours d'une séance médiumnique en salle :

“[...] Le médium s'adressa à moi et prononça une série de phrases incompréhensibles que lui-même me dit ne pas comprendre. Ma demi-sœur, elle, qui était à côté de moi avait tout compris. C'était notre père décédé qui s'adressait à moi en polonais pour me souhaiter un bon anniversaire. Et il se trouve que c'était bien mon anniversaire ce jour-là...

°°°

Les médiums qui donnent des informations sur le futur qui se révèlent par la suite fausses sont forcément de mauvais médiums.

Faux. Si on admet que les médiums ont accès à une banque de données de futurs potentiels, la seule révélation de l'information à la personne concernée peut changer les prédictions du médium.

Charlotte Gondais reste sceptique sur les capacités médiumniques en raison d'une prédiction qu'elle juge mauvaise. Voici un extrait de son courrier :

“ J'ai de gros doutes sur le pouvoir des médiums. J'en ai consulté un qui m'a prédit que j'aurai cet été un petit accident pas bien grave en voiture. J'ai donc limité au maximum mes déplacements, mais l'été est passé et je n'ai eu aucun accident. Maintenant, je regrette de l'avoir cru car cette angoisse d'accident m'a gâché toutes mes vacances estivales.

Peut-être que si Charlotte n'avait pas tenu compte de la mise en garde du médium, elle aurait était moins prudente dans ses décisions et aurait effectivement eu ce fameux accident. On peut raisonnablement se poser la question.

La septième bonne raison :

Les signes de l'au-delà

« Des signes, des signes, des signes… je n'ai jamais eu un seul signe, moi ! Je suis persuadé que tout ça, ce sont des conneries ! »

Un « Léon » parmi tant d'autres

Souvent les gens viennent me trouver pour me dire qu'ils ont perdu un proche et qu'ils se désolent de ne pas avoir reçu un seul signe de l'au-delà qui prouverait sa survivance. Ils me demandent : « Pourquoi les autres ont des signes et pas moi ? Que faut-il faire pour avoir un signe ? Comment faut-il s'y prendre ? » Je n'ai aucune réponse précise à toutes ces questions mais ce que je sais et ce que je leur dis, c'est que les signes de l'au-delà sont partout car Dieu est partout et qu'il suffit de savoir ouvrir son cœur pour pouvoir les trouver et les accepter.

À ce propos, écoutons ce qu'écrivait Jean Prieur dans son livre *Les morts ont donné signe de vie*[1]:

« Le signe, irruption de l'invisible dans le visible, atteste une présence quand on se croit dans l'exil et la solitude. Il soutient quand on se trouve dans la fournaise de l'épreuve. Donné gratuitement, par amour, il nous atteint dans le secret et le silence. […] Comme les pierres précieuses, il est rare ; il doit être rare. Étant donné que le signe est personnel, les autres ne peuvent pas comprendre. Ils ne connaissent pas la préoccupation, l'interrogation dont il est la réponse.

Le signe instruit, conseille, réjouit, encourage. Le ciel envoie des signes, mais ils ne sont pas toujours reçus comme tels car beaucoup d'entre nous sont solidement cuirassés.

Le ciel permet que notre nuit ne soit pas trop profonde, mais il défend qu'on lui fasse violence. Il n'est pas question de lui envoyer des ultimatums.

1. PRIEUR J., *Les morts ont donné signe de vie*, éd. Sorlot et Lanore, 1990.

S'ouvrir à la spiritualité est donc un passage obligé pour percevoir les signes de l'au-delà. Toutefois, il n'est pas interdit d'avoir une approche plus scientifique pour les dégager du flot d'informations qui nous assaillent sans répit.

La science progresse toujours de la même façon ; elle essaye d'intégrer une phénoménologie observable en proposant un modèle de fonctionnement cohérent jusqu'à ce qu'un élément nouveau vienne le contredire. Il est évident que si on accepte la réalité de la NDE, de la télépathie, de la prémonition, de l'intuition, de l'inspiration artistique et de la médiumnité, le modèle du cerveau « émetteur-récepteur de consciences » permet d'accepter tous ces événements bouleversants qui pulvérisent les principes fondamentaux de la pensée matérialiste prônant comme un axiome indiscutable le dogme du cerveau « sécréteur de conscience ».

Dans ce modèle novateur d'émetteur-récepteur, lesdites « consciences » reçues seraient un flux d'informations venant soit d'une conscience délocalisée comme elle peut l'être dans les NDE, soit d'un émetteur cérébral dans le cas de la télépathie, soit d'un champ de consciences informationnel dans le cas de la prémonition, de l'intuition ou de la création artistique soit, pourquoi pas, de consciences désincarnées dans le cas de la médiumnité.

Visions à distance

Les informations qui arrivent au cerveau ne sont pas toujours bien maîtrisées. Le récepteur cérébral peut parfois recevoir des messages en clairvoyance qui sont sur le moment totalement incompréhensibles ; l'explication n'arrivant que bien plus tard, de manière tout à fait fortuite.

Françoise Fulin a eu la gentillesse de me confier son témoignage qui illustre parfaitement ce mode de réception.

“ Ma fille de 25 ans et son compagnon vivaient à cette époque-là en Italie. Un soir, dans mon lit, alors que j'étais encore éveillée, brusquement, je l'aie vue dans son appartement en Italie. Son compagnon était allongé sur le dos sur un divan, il se tenait la tête et il pleurait. Ma

fille, elle, était cachée dans le double rideau de la fenêtre et elle avait l'air effrayée. Je n'ai pas compris le sens de cette vision et le lendemain, je l'ai appelée au téléphone et lui ai demandé ce qui était arrivé. N'avaient-ils pas eu un accident car j'avais « vu » son compagnon pleurer ? Elle m'a dit : « Arrête, maman, tu me fais peur ! » Elle m'a raconté qu'elle allait rompre sa relation avec son ami car il l'avait surprise cachée dans le double rideau en train de répondre à un coup de fil d'un homme dont elle était tombée amoureuse et qui la harcelait pour qu'elle quitte son compagnon actuel ! Elle était perdue, elle ne savait pas quelle décision prendre, elle était paniquée. Et moi, à des centaines de kilomètres d'elle, j'ai vu la scène telle qu'elle s'était déroulée mais sans rien y comprendre.

Je n'ai plus jamais eu ce genre de vision et j'en suis encore toute interloquée, quinze ans après.

L'inspiration artistique

Didier van Cauwelaert[2] est un romancier connu pour ces prises de position en faveur des possibilités de communication avec les personnes décédées et de l'existence d'une vie après la mort. Il a préfacé des témoignages de contact avec l'au-delà tels que : *La vie de l'autre côté* de Michel Decker ou *Karine après la vie* de Maryvonne et Yvon Dray et a repris le thème de la survivance dans certains de ces romans comme *La vie interdite* ou plus récemment, en 2009, dans *La Maison des lumières*. Cet écrivain a obtenu de nombreux prix littéraires, notamment le prix Goncourt en 1994 pour *Un aller simple*.

Intéressé par mes recherches sur l'après-vie, le célèbre homme de lettres m'invita à déjeuner en tête à tête lors de mon passage à Paris dès ma sortie des studios de RTL où je venais pour la deuxième fois d'être l'invité d'honneur de Philippe Bouvard pour son émission « Les Grosses Têtes ». Ce fut pour moi un vrai moment de plaisir. Didier van Cauwelaert est un homme sensible, raffiné et d'une grande

2. Tous les livres cités de cet auteur ou préfacés par lui sont mentionnés dans la bibliographie du présent ouvrage.

humilité. En le questionnant sur sa façon de travailler, il me confia que lorsqu'il « se mettait en écriture », il lui arrivait de rester pendant plus de dix heures consécutives devant sa table de travail, sans boire ni manger, en se laissant guider par le fil d'une histoire qui semblait sortie de son cerveau sans qu'il se soit rendu compte du temps écoulé. Il découvrait ensuite le texte réalisé à la manière d'un médium pratiquant l'écriture inspirée.

Il me semble probable que beaucoup d'artistes talentueux trouvent leur inspiration par médiumnité ; dans cette hypothèse, l'information ne serait pas enfermée dans les neurones du sujet inspiré mais située au contraire à l'extérieur du cerveau. Un cerveau qui entrerait en connexion directe avec un champ d'informations dont la source serait localisée bien au-delà de nos petits neurones.

Une boulangère médium malgré elle

Homme de presse et de communication, Philippe Ragueneau est l'auteur de bon nombre d'ouvrages qui n'ont rien à voir avec le paranormal. Malgré sa notoriété d'écrivain, je dois avouer que j'ignorais même son existence jusqu'à ce qu'une amie me recommande la lecture de son ouvrage : *L'autre côté de la vie*[3]. Dans ce livre, Philippe Ragueneau relate une expérience peu commune : par delà la mort, Catherine, son épouse tant aimée, continue de communiquer avec lui, ainsi qu'elle s'y était engagée de son vivant. Dans ce document, on apprend les déclarations faites à l'auteur par la défunte. Certaines sont troublantes et dérangeantes, notamment quand elle invite son époux à raconter aux autres ce qui lui arrive « *pour donner*, dit-elle, *de l'espérance aux désespérés* ». D'elle enfin ce mot : « *On se révolte contre tout ce qui échappe à notre compréhension et nous est imposé. On remercie quand on comprend et qu'on accepte.* »

Philippe Ragueneau s'est longtemps débattu devant cette incroyable évidence. Homme de raison, il a dû se faire violence pour accepter le surgissement de l'invisible dans sa vie et écrire son extraordinaire expérience. Par les révélations que distille à demi-mot Catherine et par l'assurance qu'elle apporte de l'au-delà, la douleur du deuil s'efface peu à peu pour laisser l'espoir d'un amour éternel.

3. RAGUENEAU P., *L'autre côté de la vie*, éd. Pocket, 2001.

J'étais donc plongé dans la lecture de cette merveilleuse histoire lorsqu'une idée obsédante interrompit ma lecture : il fallait que j'envoie un de mes ouvrages à Philippe Ragueneau. Ce que je fis immédiatement, sans réfléchir ni comprendre, après avoir trouvé son adresse postale avec une facilité déconcertante ; je passe sur les détails de cette découverte qui correspondent en fait à une véritable *guidance*[4].

Quelque temps plus tard, je reçois un courrier de Philippe Ragueneau. Il me raconte qu'étant allé chercher du pain, il s'est rendu compte qu'il avait égaré les clés de sa maison. La boulangère, sans pouvoir dire d'où lui venait l'information, lui a affirmé que ses clés étaient posées sur sa boîte aux lettres. Ce qui était le cas. Et dans la boîte aux lettres, dépassait un colis dans lequel il y avait… mon livre. Sans cet épisode, Philippe Ragueneau n'aurait jamais lu mon ouvrage puisqu'au moment des faits, il partait prendre ses quartiers d'été sur la côte méditerranéenne avant de rejoindre Catherine cette fois-ci pour toujours. Il me précise

4. Le mot guidance est ici employé par l'auteur pour signifier que l'au-delà peut dans certaines circonstances conduire les vivants à faire des choix bien particuliers dans ses actes ou ses actions.

encore dans sa lettre que la boulangère fut la première surprise de l'information qu'elle lui donna : « *Je ne sais pas, c'est idiot... Tout à coup, j'ai eu cette phrase dans la tête et je l'ai sortie...* » lui dit-elle, surprise de ses propres paroles et que le soir, il eut confirmation du caractère médiumnique de ce renseignement en interrogeant Catherine qui lui répondit : « *Je me suis servie de la boulangère pour te renseigner.* »

Philippe Ragueneau conclut son courrier en m'écrivant : « *Et pourtant, nous sommes tous les deux sains de corps et d'esprit...* »

Allô ! de là ? Ah ! l'au-delà !

Le père François Brune est mondialement connu pour ses travaux de recherche concernant une bien singulière discipline appelée TCI ou transcommunication instrumentale. Pour la majorité de nos contemporains, cette science qui consiste à vouloir communiquer avec les défunts en enregistrant leur voix est totalement inconnue ; elle est pourtant utilisée par des milliers de personnes un peu partout dans le monde. Ce singulier moyen de mise en relation avec l'au-delà serait, selon le père François Brune, étudié dans le plus grand secret par des équipes de chercheurs au Vatican à Rome.

Quand j'ai appris l'existence de la TCI., j'ai d'abord pensé, comme tout « Léon » digne de ce nom, qu'il s'agissait d'une vaste fumisterie réservée à une population de naïfs ou de charlatans. J'ai aujourd'hui radicalement changé d'avis car j'ai vécu une série d'expériences bouleversantes qui me conduisent à penser que dans des conditions bien particulières, les « consciences » des disparus peuvent s'exprimer de cette façon.

En fait, le fruit de mes recherches sur l'après-vie qui présente la conscience comme une somme d'informations délocalisées quittant le corps au moment de la mort, n'entre aucunement en conflit avec cette possibilité de communication ; bien au contraire. On l'a vu précédemment : une fois dissociée de la partie organique du défunt, la conscience peut parfaitement s'exprimer sur le récepteur cérébral d'un médium. Il n'y a donc rien de choquant que cette transmission énergétique essentiellement composée d'ondes vibratoires puisse s'établir sur un support phonique avec production de voix ou encore par l'intermédiaire d'un relai visuel électronique en synthétisant des « images fantômes ». En effet, à la plus grande surprise de leurs destinataires, des portraits très reconnaissables de défunts surgissent parfois sur des écrans de TV, comme ce fut le cas pour Jürgenson, un des principaux précurseurs de la TCI, ou encore pour la célèbre actrice de cinéma Romy Schneider, apparus nettement tous les deux de cette façon après leur décès. Les images obtenues sont saisissantes et sans équivoque[5]. La clairaudiance ou la clairvoyance de l'information médiumnique pourrait par conséquent se traduire en sons enregistrés ou en images télévisuelles lorsqu'il s'agit de TCI. Quoi de plus logique ?

Avant de vivre ma première expérience en TCI, j'avais déjà eu l'occasion de rencontrer des gens qui pratiquent régulièrement cette sulfureuse activité dans des associations d'aide aux personnes en deuil. J'avais également eu le privilège de croiser le père François Brune avec lequel j'avais d'emblée sympathisé. Comment en effet ne pas éprouver de l'admiration et un profond respect pour ce

5. Elles peuvent être visualisées sur la plupart des sites du Net qui évoquent le sujet.

nonagénaire polyglotte qui, malgré une impressionnante culture scientifique et théologique, a su rester d'une exceptionnelle humilité devant l'inexplicable ? Cet homme, d'une douceur et d'une gentillesse extrêmes, communique un peu partout sur cette planète avec beaucoup de simplicité et d'enthousiasme le fruit de ses longues années de recherche. Selon lui, il n'y a aucun doute à avoir : les voix enregistrées au cours des séances de TCI sont bien celles de nos chers disparus qui s'adressent à nous depuis un au-delà finalement pas si inaccessible que cela. Son livre *Les morts nous parlent*[6] est devenu une référence en la matière et un succès de librairie traduit en plusieurs langues. D'autre Français s'intéressent au sujet comme Christophe Barbe, Yves Lines, Jacques et Monique Blanc-Garin ou encore Monique Simonet. Ces chercheurs travaillent dans des associations[7] qui ont pour but d'aider les personnes qui sont dans la souffrance du deuil. Leur activité demeure chez nous toutefois très marginale contrairement à d'autres

6. Il existe de nombreuses éditions de cet ouvrage régulièrement réactualisé par l'auteur depuis 1993 ; voir par exemple : BRUNE F., *Les morts nous parlent*, Tome 1 et 2, éd. Le Livre de Poche, 2009.
7. Pour plus d'informations, voir www.sourcedevietoulouse.com ou www.infinitude.asso.fr ou www.christophebarbe.com.

pays très avancés dans ce domaine, comme par exemple l'Allemagne ou l'Italie.

Mais revenons à mon histoire. Ce jour-là, le père François Brune me téléphona pour me demander d'assister à une séance de TCI qu'il organisait chez sa sœur à Caen pour entrer en contact avec son frère récemment décédé. À mon grand regret, je dû décliner l'invitation car j'étais en possession d'un billet d'avion électronique non remboursable et non échangeable pour une autre destination. Mais c'était sans compter l'événement incroyable qui m'arriva au milieu de la troisième nuit suivant son appel : mon sommeil fut brutalement interrompu par ma lampe de chevet qui s'alluma trois fois de suite alors que l'interrupteur était éteint ! Je ressentis simultanément une pression sur mes pieds comme si « quelqu'un » cherchait à me réveiller et j'entendis une voix chuchoter à mon oreille qui me disait : « Va à Caen ! » Je pense pourtant être tout à fait « sain de corps et d'esprit », comme me l'a écrit Philippe Ragueneau... Je prends le risque de passer pour un véritable cinglé en racontant ça, mais bon, au point où j'en suis, je ne risque plus grand-chose de ce côté-là... Ma femme, qui dormait à mes côtés, fut réveillée par l'alerte lumineuse mais n'entendit aucune voix. Pensant ne plus avoir le choix en de pareilles circonstances, j'annulai mon voyage prévu pour me rendre au fameux rendez-vous. Oui, j'avais eu « une sacrée invitation de l'au-delà » comme me le dit ensuite le père Brune en écoutant mon récit.

Je passe rapidement sur le déroulement précis de cette expérience qui a eu lieu le 28 janvier 2007 à Caen car elle a déjà été racontée point par point et en détail dans mon livre *Les preuves scientifiques d'une Vie après la vie*[8]. Ce que je veux simplement rapporter ici, c'est que ce jour-là, avec quelques amis et familiers du père François Brune, nous avons pu enregistrer sur un petit magnétophone via un poste de radio réglé sur des fréquences courtes, les réponses d'un défunt aux questions qui lui étaient posées ! C'était sidérant, époustouflant, bouleversant. Les adjectifs me manquent pour décrire ce moment et sa seule évocation suffit à me provoquer la chair de poule. Oui, par-delà la mort, le frère de François Brune était en mesure de répondre à toutes

8. CHARBONIER J.-J., *Les preuves scientifiques d'une Vie après la vie*, éd. Exergue, 2008, pp. 200-207.

nos questions ! Ses phrases étaient parfaitement audibles et les expressions employées furent reconnues par ses proches comme étant bien les siennes. J'ai assisté depuis lors à de nombreuses séances de TCI, dont certaines m'ont permis d'entrer en contact avec mon père décédé le 4 juillet 2006 ; mon émotion reste à chaque fois intacte.

Ce que disent les détracteurs

Force est de constater que les détracteurs du phénomène TCI les plus catégoriques et les plus acerbes n'ont pour la plupart jamais assisté de leur vie à une seule séance ; ils rejettent tellement le sujet qu'ils ne veulent même pas tenter la moindre expérience. J'avais à peu près le même état d'esprit que ces farouches opposants avant mes premières contacts obtenus en médiumnité ou en TCI ; bien que totalement ignorant et inexpérimenté sur ces questions, j'avais néanmoins développé un sentiment très négatif à leur endroit ; je ne croyais pas une seconde qu'un quelconque dialogue avec l'au-delà soit possible pour la simple et bonne raison que je pensais la chose totalement irréalisable ; piètre argumentation, je vous l'accorde...

Cette croyance imbécile m'interpelle aujourd'hui car elle ne reposait sur aucune preuve tangible et donc sur aucun bon sens.

Néanmoins, certains détracteurs tentent de discréditer la TCI en essayant de démontrer que les voix enregistrées ont d'autres sources que celles venant de l'au-delà. Comme nous le verrons, leurs arguments s'écroulent devant la logique. Une logique étayée par les résultats des différentes études menées dans des centres de recherche ; notamment, au laboratoire électroacoustique de Bologne en Italie.

°°°

La TCI est une supercherie.

Les dizaines de chercheurs qualifiés en électroacoustique qui ont minutieusement étudié et « disséqué » les voix enregistrées en laboratoire par les moyens les plus modernes sont jusqu'à ce jour unanimes pour reconnaître que ce phénomène est totalement inexplicable, compte tenu des données scientifiques actuellement disponibles. À ma connaissance, aucun d'entre eux n'a été en mesure de dénoncer la thèse de la supercherie. Quel scientifique aurait pu résister à l'envie de cette annonce si la moindre preuve de tromperie existait ?

Dans le même ordre d'idée, la mystification par un tiers extérieur est exclue car le tricheur devrait parfaitement connaître la longueur d'onde d'écoute utilisée par l'expérimentateur, avoir accès à un puissant moyen d'écoute pour pouvoir répondre aux questions posées, et, enfin et surtout, donner des informations précises connues uniquement par l'écoutant[9].

° ° °

Les voix obtenues sont en fait des bruits divers qui évoquent par hasard certains mots, ces mots reliés aux autres donnent par hasard des phrases et enfin ces phrases peuvent coïncider par hasard aux questions posées.

Sans être statisticien, j'imagine que la probabilité de cumuler autant de hasards dans un temps aussi réduit – la durée des enregistrements n'excédant que rarement quelques

9. RIOTTE J., *Ces voix venues de l'au-delà*, éd. France Loisir, 2003, p.130.

dizaines de minutes – doit être aussi faible que celle de trouver un scientifique matérialiste spirituellement éveillé !

° ° °

La phrase obtenue en TCI est d'abord suggérée par un auditeur ; celle-ci est ensuite validée par les autres participants par un « effet groupe ». L'auditeur à l'origine de l'information prétendant alors qu'il faut avoir une oreille entraînée pour décrypter un message devenu évident pour tout le monde une fois énoncé.

Cet argument ne tient pas car le plus souvent, plusieurs participants entendent simultanément le même message sans qu'aucune concertation préalable ne soit possible.

° ° °

Notre cerveau adore la logique et lorsqu'il trouve une solution, l'illusion est validée comme étant une réalité. Ainsi, si on lui propose un message écrit avant de lui faire écouter une bande-son où ce même message

est reproduit, il va tout de suite le reconnaître. Privé de l'information visuelle, il n'entendra jamais le message.

Il est exact que, pour le béotien, la reconnaissance des messages semble beaucoup plus évidente si l'information est préalablement donnée (de manière visuelle ou auditive), par contre on ne peut nier que l'entraînement à l'écoute des enregistrements améliore les performances de reconnaissance. J'ai pu constater que ceux qui pratiquaient la TCI depuis plusieurs années donnaient simultanément un seul et même message lors de la même écoute. Dans ce cas, le côté « suggestif » ne peut donc pas jouer.

° ° °

Les voix enregistrées sont des voix humaines venant d'ondes radiophoniques captées par hasard.

Impossible. Les voix humaines oscillent entre 80 hertz pour les plus graves et 400 hertz pour les plus aiguës, alors que celles obtenues en TCI peuvent dépasser 1400 hertz, c'est-à-dire des fréquences vibratoires jamais atteintes avec des cordes vocales humaines. D'autre part, les émissions de radio captées par hasard ne pourraient répondre aux questions précises posées en TCI.

° ° °

Puisqu'on n'a jamais pu analyser ces voix, il est impossible de savoir si elles viennent du défunt.

Faux. Certaines voix reçues en TCI ont été analysées. Leurs caractéristiques sont à plus de 90 % similaires à celles des voix enregistrées de leur vivant.

° ° °

Les voix enregistrées en T.C.I relèvent d'une flagrante imposture. Avec un ordinateur, on doit être en mesure de « fabriquer » facilement ce genre de voix.

Faux. De l'avis des plus grands spécialistes en informatique, un certain nombre de prouesses obtenues en TCI sont totalement irréalisables avec les logiciels les plus performants du monde. En particulier :

– L'obtention de *voix réverses* qui sont des messages différents et parfaitement audibles en faisant dérouler la bande d'enregistrement en avant, puis en arrière. Lorsqu'on demande au Dr Augusto Beresawkas de l'université de São Paulo comment, techniquement parlant, pourrait se produire une voix réverse, il répond : « La principale explication pour la manifestation de voix réverse est d'admettre qu'il existe une fluctuation temporelle entre notre réalité et les autres réalités[10] ». Sonia Rinaldi, une Mexicaine spécialisée dans l'écoute des voix en TCI, est formelle : « Il n'existe actuellement aucun procédé mathématique ou logiciel avec lequel il est possible de générer, artificiellement, en partant d'une voix, une autre par-dessus, dans le sens inverse, et que toutes deux soient parfaitement intelligibles.[11] »

– Des enregistrements obtenus alors que le magnétophone était en position d'écoute.

– Des enregistrements déplacés sur la même bande-son avec à chaque fois des messages identiques.

10. LINES Y., *Quand l'au-delà se dévoile*, éd. JMG, 2006, p 113.
11. BARBE C., *Le langage de l'Invisible*, éd. Kymzo, 2006, p. 122-123.

– Une bande enregistrant à une vitesse constante a pu faire entendre en mode lecture quatre voix différentes : une première audible à la même vitesse que celle de l'enregistrement, une deuxième à une vitesse deux fois supérieures, une troisième à une vitesse réduite de moitié et enfin une quatrième en faisant défiler la bande à l'envers[12] !

– Plus surprenant encore, le 5 décembre 2004, au Centro Psicofonia de Grosseto dirigé par Marcello Bacci, des voix s'exprimant en langue étrangère délivrant des messages à un auditoire choisi ont été entendues sur un poste de radio éteint !!! Durant cette séance, les précautions pour éliminer toute fraude furent poussées le plus loin possible[13].

° ° °

12. BRUNE F., *Les morts nous parlent*, éd. Philippe Lebaud, 2002, p. 28.
13. BRUNE F., *Les morts nous parlent*, nouvelle édition, t. 2, éd. Oxus, 2006, p. 134-140.

Les voix obtenues en TCI trouvent leurs sources dans les *ondes rémanentes*.

Improbable. Les *ondes rémanentes* peuvent être définies comme étant des champs d'informations émis dans des lieux précis.

Les travaux de Sinesio Darnel permettent de mieux comprendre ce phénomène. Ce chercheur a montré qu'il existe une véritable mémoire des lieux pouvant être mise en évidence par des enregistrements sonores. Par exemple, dans un ermitage en ruine situé dans la principauté d'Andorre, on a pu enregistrer à plusieurs reprises et à plusieurs années d'intervalle la récitation du rosaire, ou encore, dans les vestiges d'une maison pyrénéenne abandonnée, furent recueillies les lamentations d'une femme qui demandait pardon. Il suffisait de s'éloigner de six cents mètres de la ruine pour que les enregistrements restent muets.

Cependant, les messages reçus en TCI ne sont pas uniquement focalisés sur des informations émanant de lieux particuliers puisque des séances sont très souvent faites sur des sites n'ayant aucun rapport avec le vécu du défunt. De plus, les réponses obtenues sont souvent d'une actualité totalement indépendante d'un passé historique. Bien que cette piste ne doive pas être abandonnée, elle semble trop réductrice pour expliquer la totalité des résultats obtenus en TCI.

° ° °

Les phrases enregistrées seraient influencées par l'inconscient de celle ou celui qui fait la séance de TCI. Les signaux électriques du cerveau seraient captés par la bande magnétique du magnétophone.

Hypothèse tout aussi improbable car il existe des informations données par TCI totalement ignorées de celle ou celui qui la pratique. D'autre part, s'il est vrai que le cerveau peut émettre des pensées télépathiques, on voit mal comment celles-ci pourraient être préalablement décodées en phrase ou en langage parlé avant d'être enregistrées sur une bande magnétique.

Une conscience téléphonée

À en croire le courrier de Marie-Hélène Verdubal, les messages des disparus peuvent parfois arriver directement au téléphone sans qu'il soit nécessaire de les enregistrer préalablement pour pouvoir les comprendre. Marie-Hélène est institutrice dans un petit village du Sud de la France. Elle a les pieds sur terre et son discours est sensé. Voici un extrait de la lettre qu'elle m'a adressée.

“ *[...] En six semaines, une leucémie foudroyante a emporté Francis, mon mari, à l'âge de trente-huit ans... [...] Nous nous aimions d'un amour fou. Il a laissé derrière lui une jeune veuve de trente-six ans et une petite fille de huit ans. Pour sa veillée mortuaire, nous nous sommes retrouvées avec maman dans la cuisine pour faire du café. Quand j'ai entendu le téléphone sonner, je suis allée décrocher en me demandant qui pouvait m'appeler au beau milieu de la nuit. Je suis ensuite revenue dans la cuisine, totalement bouleversée par ce que je venais d'entendre. Maman s'en est aperçue et elle m'a demandé : « Qui c'était, qu'est-ce que tu as ? Tu es toute blanche. » J'ai préféré lui répondre que c'était une erreur et que j'étais un peu fatiguée, mais en réalité, c'était Francis que je venais d'entendre à l'autre bout du fil. Francis, mon mari, qui me disait : « Je suis arrivé, ma grenouille. » Je l'ai parfaitement reconnu, c'était lui. Il me donnait ce petit nom dans l'intimité quand il se blottissait contre moi dans le lit pour dormir l'un contre l'autre en chien de fusil et il me disait : « Fais la grenouille ». Il était souvent en déplacement professionnel et dès qu'il arrivait à destination, il m'appelait et me disait : « Je suis arrivé, ma grenouille. » Si quelqu'un m'avait dit un jour que j'écrirai cette histoire, que je n'ai même pas voulu raconter à ma mère, à un docteur, je ne l'aurais jamais cru, mais après vous avoir lu, je commence à comprendre que « l'âme » ou « l'esprit » quitte le corps au moment de la mort et que le corps sans vie de Francis qui reposait sur le lit de notre chambre ce soir-là n'était plus qu'une enveloppe vide, comme vous le dites si bien dans vos livres.*

Ce témoignage bouleversant qui suggère qu'une communication téléphonique soit possible après un décès ne choquerait pas mon confrère le Dr John Lerma qui a travaillé pendant dix ans dans une unité de soins palliatifs du centre médical de Houston. Et pour cause ; il a lui-même constaté cet étrange phénomène avec une de ces patientes ! L'épisode est relaté dans son livre intitulé *Dans la lumière*[14].

Le Dr Lerma avait constaté depuis plusieurs heures le décès de Mary Esther qui était hospitalisée dans son service à la chambre 236. Il s'apprêtait à prévenir Isaac, le fils de la vieille dame, lorsqu'un appel mystérieux arriva à la salle de garde des infirmières. Il raconte :

“ Quelques heures après sa mort, j'étais au poste des infirmières pour savoir si elles avaient réussi à joindre le fils de Mary lorsque le téléphone se mit à sonner. L'identification de l'appelant indiquait qu'il s'agissait du poste de la chambre 236. L'infirmière décrocha le téléphone en se demandant qui pouvait bien l'appeler de cette chambre. Elle dit : « Puis-je vous être utile ? » Elle pensait qu'Isaac était peut-être entré dans la chambre sans qu'elle le voie. Elle écouta pendant un instant et parut tout d'abord confuse, puis effrayée. Elle me tendit le combiné du téléphone et me fit signe d'écouter. En mettant le combiné près de mon oreille, j'entendis une voix lointaine et distincte dire : « Dites

14. LERMA J., *Dans la lumière*, éd. AdA, 2009.

à mon fils que je vais bien. Dites à mon fils que je vais bien. » La phrase fut répétée plusieurs fois, puis le téléphone devint muet. L'infirmière dit : « Avez-vous entendu ? Était-ce Mary Esther ? C'était exactement la voix de Mary Esther. »

L'infirmière et le Dr Lerma se sont ensuite précipités dans la chambre 236 pour constater que Mary Esther était toujours bien là, morte sur son lit. Bien sûr, la vieille dame n'avait pas bougé d'un millimètre et était aussi froide et raide que pouvait l'être une personne décédée depuis plusieurs heures. Elle n'avait donc pas pu être à l'origine de cet appel et il n'y avait personne d'autre dans la chambre. Et le médecin de préciser :

> “*Si quelqu'un avait quitté la chambre 236 après avoir fait cet appel, nous l'aurions vu du poste des infirmières.*

Mais l'histoire ne s'arrête pas là ; une autre surprise attendait le Dr Lerma. Environ une demi-heure après cet appel, enfin prévenu du décès de sa maman, Isaac arriva dans le service et demanda au médecin si quelqu'un avait aidé sa mère à tenir le combiné téléphonique pour qu'elle lui parle. Les personnes qui s'occupaient de Mary savaient qu'elle était beaucoup trop faible pour fournir ce genre d'effort, la déduction faite par son fils paraissait donc logique. Quand le médecin lui demanda la raison pour laquelle il posait cette question, Isaac lui répondit :

> *« Ne pensez pas que je suis fou, mais j'ai reçu un appel téléphonique de ma mère qui me disait qu'elle allait bien. Elle ne me répondait pas, et la ligne s'est coupée. Lorsque j'ai essayé d'appeler le poste des infirmières, personne n'a répondu.*

Le Dr Lerma était stupéfait car quand Isaac avait reçu cet appel, Mme Esther était morte depuis longtemps !

° ° °

Le Dr Melvin Morse est un pédiatre américain bien connu pour ses recherches sur les NDE chez les enfants. J'ai eu le plaisir de rencontrer cet illustre médecin en Belgique où nous étions invités à faire une conférence au palais des congrès de Liège. Je me suis vite rendu compte que, comme la plupart des grands hommes, le Dr Morse est une personne très chaleureuse et très humble. Nous avons rapidement engagé une conversation passionnée sur le thème de la survivance et sur l'état de nos recherches respectives dans ce domaine. Ce spécialiste des NDE a, tout comme moi lors de mon stage au SAMU, vécu une expérience personnelle qui a bouleversé sa conception d'envisager « l'après-vie » ; en effet, son père lui est apparu au beau milieu de la nuit alors qu'il avait débranché son téléphone pour récupérer quelques forces sans être dérangé après une longue et pénible journée de travail. Le papa de Melvin s'adressa à son fils pour lui demander de consulter son service de messagerie car il avait quelque chose d'important à lui dire. Sans avoir la moindre hésitation ni le moindre doute sur la réalité de cette sidérante apparition, le Dr Morse obtempéra aussitôt et là, ô surprise. Il y avait effectivement un message enregistré qui indiquait qu'il fallait que Melvin contacte sa mère de toute urgence. La maman du médecin lui apprit aussitôt que son père venait de mourir !

Une conscience délocalisée

Compte tenu de ce que j'ai pu apprendre en regroupant les différents témoignages que j'ai étudiés, j'en ai conclu que tout se passe comme si nous avions une conscience qui se délocalisait en se dissociant du corps au moment de la mort. Cette conscience quitterait le corps de façon temporaire dans les expériences de mort provisoire ou de manière définitive dans les cas de décès avéré. Elle serait en mesure de donner par-delà la mort des informations à des récepteurs cérébraux médiumniques qui pourraient également être recueillies sur les différents supports vibratoires électroniques ou phoniques de la TCI.

Le cerveau du médium jouerait dans cette hypothèse le rôle d'un récepteur de consciences de sujets décédés en lui donnant des informations sensorielles olfactives, visuelles, auditives ou tactiles. Si on intègre les phénomènes télépathiques aux phénomènes d'EMP et de médiumnité, on peut concevoir que le cerveau soit en réalité un émetteur-récepteur de consciences.

Dons artistiques et possessions

Les sources d'informations reçues par le cerveau pourraient provenir de différents champs de consciences appartenant à des défunts. Ceci expliquerait non seulement les intuitions ou les prémonitions « soufflées » par des âmes disparues mais aussi certains dons artistiques comme la peinture, la littérature, la sculpture ou la musique. Un enfant connecté avec des consciences supérieures serait par exemple capable par ce moyen de jouer du Mozart avec une facilité déconcertante ou de peindre des toiles de maîtres disparus depuis longtemps ; plusieurs cas similaires ont été décrits dans la littérature.

Les consciences des défunts étant aussi dissemblables que celles des vivants, ces « sources spirituelles » ne seraient donc pas obligatoirement géniales ou exceptionnellement talentueuses. Elles pourraient également provenir de consciences plus obscures transformant par exemple, de façon aussi spectaculaire qu'inattendue, un bon père de famille en violeur ou en assassin. Les titres de journaux regorgent de ce type de faits divers. La société semble complètement désarmée devant des agissements aussi brutaux qu'incompréhensibles. Totalement incapable de fournir la moindre explication à ces comportements devenus subitement criminels, elle se contente de condamner à de lourdes peines de prison les délinquants en ignorant complètement leur contexte de survenue. La simple analyse d'un passé aussi vertueux qu'exemplaire d'un violeur d'enfant, d'un meurtrier ou d'un tueur en série suffirait pourtant à faire admettre comme crédible le phénomène de « possession ».

Une conscience source

Dans cette hypothèse, notre cerveau serait sollicité en permanence par des consciences délocalisées appartenant à des défunts ; ces consciences étant, comme dans nos relations terrestres quotidiennes, plus ou moins fréquentables. Mieux vaut effectivement être connecté à la conscience d'un ancêtre qui souhaite notre bonheur ou à celle d'un génie de la littérature qu'à celle d'un assassin !

Il existerait, selon le même modèle, une connexion qu'il faudrait savoir privilégier : celle qui nous relie à une conscience supérieure assimilée au divin et que l'on pourrait appeler « conscience source ».

Si nos cerveaux étaient tous identiques, sollicités par des champs de consciences universels et constants, nos comportements seraient eux aussi identiques, or il n'en est rien ; nous sommes tous différents. Ceci s'explique par le fait que les informations données par les consciences délocalisées (supérieures ou pas) parviennent à nos récepteurs cérébraux de façon brève et sporadique ; les intuitions, les prémonitions, les contacts médiumniques sont donnés sous forme de « flashs ». Le cerveau va ensuite traiter le message en fonction de son apprentissage, de son vécu, de sa culture, de son savoir, de sa spiritualité. Il pourra soit rejeter le message, le nier, le négliger et l'oublier très vite, soit l'accepter, l'intégrer et l'analyser pour modifier un comportement. Un médium va être en mesure de prolonger le contact pour délivrer les messages des disparus, idem pour un artiste qui trouvera là – et le plus souvent à son insu – sa source d'inspiration, tandis qu'un cerveau possédé se laissera envahir par une conscience délétère.

Lorsque l'on a intégré ce modèle de fonctionnement de « cerveau émetteur-récepteur de consciences délocalisées », le problème qui se pose est de savoir si notre conscience peut être délocalisée dès l'instant de notre naissance et pendant toute notre vie terrestre pour se fondre par intermittences dans une même « conscience source » ou bien si cette délocalisation ne s'opère qu'au seul moment de notre mort clinique, autrement dit au moment précis où notre cerveau ne fonctionne plus. J'aurais plutôt tendance à opter pour la première hypothèse et ceci pour plusieurs raisons :

1. Les expériences dites OBE ou de sorties de corps ne se produisent pas qu'au moment de la mort clinique, comme nous l'avons vu au chapitre 4.

2. Les grandes découvertes planétaires s'opèrent de façon quasi simultanée à différents endroits du monde. Ce phénomène incontestable et reconnu trouverait une explication si on admet que plusieurs cerveaux privilégiés puissent être sollicités par une information émanent d'une même « conscience source »

3. Il arrive que plusieurs sujets éprouvent au même moment une intuition ou une prémonition identique ou encore aient la même idée ou prennent la même initiative comme s'ils avaient été pilotés par une idée unique. Deux personnes peuvent par exemple décider à la même seconde de faire un acte identique : un achat, un voyage, un coup de téléphone, etc. comme si elles avaient été influencées par la même conscience source.

4. Une volonté farouche à déterminer la réalisation d'un événement donné peut influencer favorablement plusieurs personnes en même temps. Qui n'a jamais remarqué ce genre de phénomène repris dans des dictons populaires comme « Quand on veut, on peut » ou bien « Une volonté qui renverserait des montagnes » ? Lorsqu'on éprouve un désir important pour qu'une chose se produise, il arrive que des personnes nous aident à satisfaire cette envie sans même avoir à les solliciter. Seraient-elles stimulées par une conscience source, elle-même alimentée par la conscience qui éprouve ce fameux désir ? Et

d'ailleurs, savons-nous vraiment d'où nous vient cet impérieux désir ?

J'ai, à ce sujet, une anecdote personnelle à raconter. En 1998, je travaillais dans une petite clinique du Sud de la France. J'avais l'enthousiasme de mon âge et, comme tout praticien qui en est au début de son activité professionnelle, je voulais changer pas mal de choses dans le fonctionnement de cet établissement. Cette année-là, les médecins de la clinique s'apprêtaient à élire l'un des leurs pour occuper le poste de président de conférence d'établissement qui venait de se libérer. Je rêvais en secret de remplir cette fonction qui autorise certaines actions pour réformer des fonctionnements vieillissants mais, à cette époque, je me serais bien gardé d'oser en parler à un seul de mes confrères ; récemment installé, j'étais le médecin spécialiste le plus jeune et donc le plus inexpérimenté. De plus, je savais que deux chirurgiens étaient déjà candidats à ce poste. Toutefois, ce mutisme sur la question ne m'empêchait nullement d'y penser. Je n'y pensais pas seulement le matin en me rasant ; j'y pensais jour et nuit ! Puis, un matin, un collègue me confia que si jamais je me présentais, il voterait pour moi. Le lendemain, trois autres praticiens me firent la même confidence, puis quatre autres l'après-midi. En moins de cinq jours, je dépassais la majorité absolue et tout cela sans que je n'aie eu à formuler « oralement » le moindre souhait. Les deux autres prétendants qui avaient eu vent d'une rumeur relative à mes ambitions potentielles étaient furieux. Mon élection se fit avec une facilité déconcertante et j'ai occupé pendant treize ans la présidence de conférence d'établissement de cette clinique. On peut raisonnablement se demander qui pilotait ce fameux désir relayé par les récepteurs cérébraux de mes confrères. Une conscience délocalisée ? Peut-être, mais de quelle nature ? Une conscience... divine ? Osons le mot ; pourquoi pas ?

Le courrier de Marie D. illustre parfaitement ce phénomène :

“... Quand ma belle mère est morte, je ressentais une certaine sérénité non seulement à l'église, mais aussi

pendant les trois ou quatre jours où j'ai ressenti sa présence près de moi, sans doute pour me consoler, puis elle est partie. Je crois qu'on est tous reliés par une conscience qui est en nous et autour de nous car sinon comment expliquer que ce que je demande à l'Univers se réalise, qu'il suffise que je pense à quelqu'un pour que soit cette personne m'appelle, soit je la rencontre ? J'ai la sensation que cela a un lien avec le centre de mon cerveau qui me connecte petit à petit avec l'au-delà que je préfère appelé l'Univers. J'ai lu plusieurs livres de chercheurs étrangers pour essayer de comprendre mais je ne me vois pas raconter tout ça à mon médecin. J'ai des ressentis différents de ceux de mon entourage. J'espère que la médecine française évoluera. Prenez bien soin de vous.

5. C'est encore une étrange histoire personnelle qui pourrait venir étayer l'existence théorique d'une conscience source délocalisée. J'emploie ici le conditionnel car il va de soi qu'on ne peut tirer de conclusion hâtive à partir d'un vécu anecdotique et isolé. Mais ce singulier témoignage m'interpelle car il pourrait trouver une explication dans l'hypothèse que nous soulevons dans cette discussion.

Ce jour-là, je venais d'entamer une séance de dédicaces lorsqu'une jeune femme se présenta à moi pour faire signer son livre. Je reconstitue de mémoire notre improbable dialogue.

- Je ne regrette pas d'être venue à votre conférence, docteur, c'était très intéressant et je crois que ça va bien m'aider. Comme vous le savez, je viens de perdre mon mari il y a deux mois.

- Ah bon ? Non, je ne vous connais pas… Je ne suis pas au courant…

- Mais si, je vous ai envoyé un mail par l'intermédiaire de votre site pour vous dire à quel point votre livre m'avait réconfortée, un mail envoyé au nom de Fifou, vous vous souvenez maintenant ?

- Euh… non, je ne vois pas… Vous savez, je reçois beaucoup de mails et je ne peux pas répondre à tout le monde. Je vous ai répondu ?

- Non, mais vous avez fait mieux que ça !

- … ???

- Vous ne vous souvenez pas de votre appel d'hier soir ?

- Mon appel d'hier soir ???

- Oui, hier soir ! Vous m'avez appelée sur mon portable pour me dire que vous passiez aujourd'hui en conférence ici, à cinquante kilomètres à peine de chez moi, vous ne vous souvenez pas ?

- Ah non, je ne me souviens pas de ça, non... Du reste, il est impossible que je m'en souvienne puisque je ne l'ai pas fait !

- Pourtant c'était bien vous, docteur, vous m'avez bien appelée pour me prévenir. J'ai tout de suite reconnu votre voix car je vous ai déjà entendu plusieurs fois à la télé et à la radio...

- Ah bon ? Et qu'est-ce que je vous ai dit ?

- Vous avez été très bref, d'ailleurs ça m'a beaucoup étonnée, car sans savoir qui vous aviez au bout du fil, vous avez dit : « Je passe demain en conférence à Toulon », puis vous avez tout de suite raccroché. Heureusement que je vous ai reconnu et que c'est moi qui ai pris l'appel et non pas ma mère ou mon fils...

J'ai effectivement retrouvé le message de Fifou sur ma boîte mail ; elle me remercie pour mon action et m'encourage à poursuivre mon travail, mais ne m'indique nullement son numéro de portable. Il était donc tout à fait impossible que je l'avertisse de ma conférence par ce moyen. Ouf, je n'avais pas été victime d'un ictus amnésique !

Deux possibilités pour résoudre cette énigme : soit Fifou est une mythomane hystérique – bien que cette personne me semblât tout à fait saine de corps et d'esprit, ma qualité de médecin ne me permet pas d'exclure totalement cette hypothèse dans un entretien aussi court et dans de telles circonstances –, soit la ligne téléphonique de Fifou a été sollicitée par une information venant d'une conscience source en relation avec ma propre conscience ; une sorte de TCI venant cette fois de quelqu'un de vivant !

Je n'ai pas la réponse.

Et si cette conscience source alimentée par l'ensemble de nos consciences était capable d'influencer le comportement des gens et d'agir sur la matière et les événements d'une vie ?

Et si cette conscience source était capable de nous donner des signes de survivance par-delà la mort ?

Et si cette conscience source était ce que les habitants de cette planète appellent Dieu ?

Les aiguilles folles

Il n'est pas rare de constater que les marqueurs du temps s'arrêtent de fonctionner au moment d'un décès. Montres, horloges, pendules et réveils s'immobilisent à l'instant précis où le cœur de leur propriétaire cesse de battre. La plupart des soignants qui travaillent en milieu hospitalier connaissent au moins un récit illustrant ce phénomène récurrent.

Mon père est parti de l'autre côté du voile le 4 juillet 2006 en faisant sa sieste. Il ne s'est pas réveillé. Il était très intéressé par mes recherches sur les expériences de mort provisoire mais beaucoup plus sceptique que moi sur l'existence possible d'une vie après la mort. Nous avions convenu d'un accord. Se sachant très malade du cœur, il m'avait dit que s'il y avait une vie dans l'au-delà, il me le ferait savoir par l'intermédiaire de l'horloge comtoise qui trônait dans un coin de sa salle à manger. Or, le 4 juillet 2006, à l'heure précise de son décès, les aiguilles de la fameuse comtoise se sont définitivement immobilisées. S'il s'agit d'une simple coïncidence, il faut quand même reconnaître qu'elle est plus que troublante étant donné que cette horloge ne s'était jamais arrêtée.

Dans les témoignages de celles et ceux qui ont connu une EMP, on retrouve, entre autres descriptions similaires, différentes visualisations d'objets symbolisant l'écoulement du temps : des bouliers, des sabliers ou des cadrans d'horloge. Le récit de Marc qui a été victime d'un arrêt cardiaque de trente minutes à la suite d'un accident de la route a aussi cette particularité :

“ J'étais dans une lumière d'amour et cette lumière était vivante. Elle me parlait. On m'a montré toute ma vie, tout ce que j'avais fait de bien et de mal. Ma vie défilait en accéléré devant moi dans ses moindres détails et on me montrait en surimpression les aiguilles d'une montre qui tournaient à l'envers

à une vitesse vertigineuse. Personne ne me jugeait. C'était moi qui jugeais tous mes actes.

Le Dr Jean-Pierre Postel m'a adressé un courrier dans lequel il me raconte une étrange expérience vécue avec son fils dans le box de réanimation où son père était sur le point de mourir :

> *“Nous étions avec mon fils au chevet de mon père lorsque les aiguilles de la pendule accrochée au mur se sont mises à tourner à toute vitesse et ensuite elles se sont replacées toutes seules en position normale pour indiquer une heure correcte. Je ne sais pas du tout comment ce phénomène a pu se produire ni pourquoi il s'est produit, mais en tout cas, nous n'avions pas rêvé puisque nous étions deux à avoir vu la même chose.*

J'ai vécu une histoire surprenante où il est également question d'une pendule murale dont les aiguilles se déplacent en dépit du bon sens. Ce jour-là, une équipe de journalistes de TF1 était venue m'interviewer au bloc opératoire de Toulouse pour faire un sujet de trois petites minutes sur les NDE. Le reportage a été diffusé aux informations de vingt heures le 25 août 2010. Quelques jours plus tard, une internaute me fit remarquer qu'au moment de mon entretien, la trotteuse de la pendule murale visible derrière moi tournait à l'envers. J'ai tout de suite vérifié la chose sur le site de la chaîne et constaté qu'effectivement l'aiguille de la fameuse pendule se déplaçait « dans le sens inverse des aiguilles d'une montre » ! Le lecteur pourra vérifier cette singulière anomalie sur le Net en se référant à la date indiquée. J'ai aussitôt averti Dominique Lagrou-Sempère, la réalisatrice, pour savoir si cet effet spécial avait été fait de façon volontaire pour renforcer le coté mystérieux ou marginal du sujet. La journaliste, stupéfaite, me soutint que personne n'aurait osé prendre une telle initiative à son insu étant donné qu'elle était responsable du montage. Une manœuvre accidentelle lui paraissait tout à fait improbable car elle devait coïncider de façon précise au très bref moment où la pendule était filmée. En me renseignant auprès de spécialistes de l'audiovisuel, j'appris qu'il existe des procédés automatiques d'inversion d'images pour rendre illisibles des noms de marques publicitaires et que, dans ces cas-là, une trotteuse pouvait sembler tourner dans le sens opposé à son déplacement réel. Mais cette explication n'est pas satisfaisante car une image en miroir ferait également apparaître les chiffres du cadran à l'envers et ce n'était pas le cas ici. Alors, si ce phénomène n'est pas secondaire à une modification cinématographique, il faut bien admettre que l'aiguille de la trotteuse de la pendule murale du bloc opératoire s'est bien mise à tourner à l'envers au cours de mon interview ce jour-là. Pourquoi ? Comment ? On conviendra volontiers que nous sommes encore bien loin de détenir toutes les clés de la connaissance pour comprendre. Un jour, peut-être…

Sans tomber dans l'écueil de voir partout des signes de l'au-delà, nous devons quand ils surviennent les accepter comme des grâces sans nécessairement comprendre leurs mécanismes intimes de production.

Accepter sans comprendre, c'est l'antinomie de la pensée scientifique qui cherche précisément à tout expliquer. D'où le rejet massif et persistant de ce qu'il est encore convenu d'appeler le « paranormal ». Pourtant, il faudrait avoir l'humilité de reconnaître que nous sommes encore bien loin d'avoir les moyens de tout rationaliser avec nos minuscules petits cerveaux ; si petits et si minuscules que nous ne comprenons même pas comment ils fonctionnent ! Un comble !!!

De l'avis des sceptiques et des détracteurs, l'existence d'une vie après la vie et donc d'un au-delà n'est pas scientifiquement prouvée, car l'expérience de mort provisoire n'est pour eux qu'un phénomène observable par des témoins et ce qu'ils racontent n'est bien sûr ni reproductible en laboratoire ni mesurable par un appareillage adapté. On imagine mal en effet un anesthésiste réanimateur reproduisant des comas dépassés dans un service de réanimation à la seule fin de recueillir et de « mesurer » les témoignages de celles et ceux qui auraient été volontairement plongés dans ces états pitoyables par seringues interposées. Ces deux conditions – mesurable et reproductible – qui sont suffisantes et essentielles pour qualifier une preuve de « scientifique » manquant au répertoire, l'au-delà n'est donc pas prêt d'être reconnu comme étant une réalité scientifique.

En raisonnant de la sorte, la pensée scientifique devient effroyablement réductrice pour authentifier ce qui appartient au domaine du réel.

Par exemple, on sait aujourd'hui que la naissance de l'univers est secondaire à une colossale coïncidence aussi fantastique qu'improbable. À l'origine, les premières particules élémentaires nées du big-bang sont soumises à deux forces opposées : l'expansion de l'explosion originelle qui les éloigne les unes des autres et la gravité qui les inclinent à revenir à la situation initiale d'hyperconcentration sur elles-mêmes. L'une de ces deux forces contraire eut-elle varié d'un milliardième, l'équilibre ne se faisait pas et l'univers n'existait pas. Vu la probabilité d'une telle coïncidence, la naissance de l'univers n'est donc ni reproductible ni mesurable dans l'état de nos connaissances. Devons-nous admettre pour autant que l'univers n'existe pas ?

Conclusion

Une récente enquête d'opinion, publiée au mois d'avril 2011[1] montre que 35 % des gens interrogés en 1981 croyaient à une vie après la mort et seulement 39 % en 2008 ; soit une modeste progression de 4 % en vingt-sept ans. Même si cette évolution est faible, elle démontre que l'avancement de nos connaissances permet d'accroître ce pourcentage ; croire à une survivance de l'esprit après la mort physique ne peut donc être attribué à une simple naïveté imputable à un sous-développement culturel comme certains le prétendent encore ; bien au contraire ! En extrapolant cette courbe, on pourrait donc s'attendre à ce qu'en 2089, la majorité des personnes admette que la vie se poursuit après la mort. Mais cette évolution semble en fait bien plus rapide qu'une simple fonction linéaire. En effet, à en croire les réponses faites par les 521 abonnés à un

1. Enquête réalisée par AVRAL (Association pour la recherche sur les systèmes de valeurs).

magazine de vulgarisation scientifique[2] au début de l'année 2011, elle pourrait même être exponentielle puisque dans cette nouvelle enquête d'opinions, 64 % des lecteurs sondés soumis aux mêmes questions qu'en 1981 et 2008 déclarent penser que l'esprit survit au corps, tandis que 50 % affirment croire à la réincarnation et 50 % à la communication avec les morts. La progression d'opinions favorables à l'après-vie pour cet échantillon sondé fut plus de six fois plus important ces trois dernières années, de 2008 à 2011 qu'en vingt-sept ans sur l'échantillon de l'AVRAL, de 1981 à 2008 !

D'autres indicateurs s'allument pour nous signaler un changement radical de mentalité sur les expériences de mort provisoire, comme en témoigne la sortie au mois de mai 2011 du numéro un d'une revue trimestrielle vendue en kiosque en France et dans les pays francophones intitulée *NDE magazine*. Je me suis engagé à publier un article à chacune de ses parutions. Son rédacteur en chef pense à juste titre qu'il y aura suffisamment d'actualités sur les NDE pour pérenniser son existence. C'est dire les potentiels énormes que l'on devine

2. Voir les détails de cette enquête sur www.charbonier.fr rubrique revue de presse (Magazine *ça m'intéresse,* avril 2011).

sur le sujet ! En effet, qui aurait pu prétendre il y a seulement cinq ans qu'un investisseur ferait un tel pari éditorial ?

La réflexion eschatologique est sur le point de changer de paradigme et nous sommes au tournant de cette prise de conscience universelle.

Notre survivance deviendra donc très bientôt une réalité admise par la majorité des habitants de cette planète ; c'est inéluctable.

Nous avons vu qu'il y avait dès aujourd'hui de bonnes raisons de croire en un au-delà ; sept bonnes raisons, pour être plus précis. Le seul problème est de les faire connaître car les sceptiques et les détracteurs qui pèchent souvent par ignorance freinent considérablement la diffusion des bonnes informations.

Mon souhait est que ce livre les fasse progresser sur le chemin de la connaissance qui est aussi et surtout le chemin de la tolérance et de l'Amour.

L'Amour qui, comme on le sait depuis maintenant deux mille onze années, est plus fort que tout.

Conseil et précisions

Si vous avez aimé ce livre, ne le rangez pas dans votre bibliothèque pour le laisser dormir, offrez-le plutôt à un « Léon ».

Choisissez parmi vos connaissances : parents, amis, et même pourquoi pas ennemis, celui ou celle qui vous semble le ou la plus sceptique sur l'existence de l'au-delà et faites-lui ce cadeau.

Vous aurez au préalable écrit une phrase ou deux sur la première page en guise de dédicace, en apposant en bas la date et le lieu de votre signature. Ensuite, patientez…

Si vous recevez des nouvelles de l'improbable lecteur ou lectrice dans les jours, les semaines ou les mois qui suivent, écrivez-moi ; je collecte toutes les réactions pour mes statistiques personnelles en vue de la publication d'un prochain travail.

Merci infiniment par avance d'accepter d'être comme je vous le demande ce « Gabriel » qui servira à faire circuler l'information.

Précisions sur l'archange Gabriel

Gabriel est un ange cité dans l'Ancien Testament, le Nouveau Testament et le *Coran*. Dans les monothéismes abrahamiques, Dieu communique avec ses prophètes soit par l'intermédiaire d'anges, soit par des visions ou des apparitions. Gabriel est le messager de Dieu dans la *Bible* et le *Coran*. En hébreu *gabar* signifie force et *El,* Dieu.

Il apparaît dans la *Bible* comme un homme robuste et est considéré comme la main gauche de Dieu.

Dans le Nouveau Testament, il annonce la naissance de Jésus à la Vierge Marie (Évangile selon saint Luc, 1 : 26-38)

Dans l'Islam, il est connu sous le nom arabe de *Djibril* et révèle les versets du *Coran* à Mahomet.

Par bref apostolique du 12 janvier 1951, le pape Pie XII a proclamé Gabriel, « qui apporta au genre humain, plongé dans les ténèbres et désespérant de son salut, l'annonce longtemps souhaité de la rédemption des hommes ».

Céleste patron de toutes les activités relatives aux télécommunications et de tous leurs techniciens et ouvriers, il est devenu, en toute logique, le saint patron des transmissions. Sans doute doit-il protéger tous les chercheurs en TCI…

On fête la saint Gabriel le 29 septembre.

Dicton : « Saint Gabriel apporte bonnes nouvelles. »

Précisions sur saint Léon le Repenti

Dans *le livre des Miracles de la Sainte Vierge*, on apprend que le pape Léon qui célébrait la messe le jour de Pâques dans l'église de Sainte-Marie-Majeure eut une violente tentation de la chair en distribuant la communion à une des fidèles qui lui baisa la main. L'homme de Dieu qu'il était ne supporta pas cette violente et scandaleuse tentation qui le submergea ; en secret et pour se venger de ce bouleversant baiser, il se coupa la main et la jeta.

Le peuple se plaignit ensuite que le souverain pontife, désormais amputé et soumis à d'atroces souffrances, ne célébrait plus les saints mystères avec autant de passion. Accablé de la déception dont il était l'objet auprès des croyants, le pape Léon s'adressa alors à la Sainte Vierge et s'en remit à elle. Elle lui apparut, lui rendit sa main amputée, l'affermit et lui demanda de paraître en public. Saint Léon lui obéit, montra à tous la main qui lui avait été rendue et apprit à tout le peuple ce qui lui était arrivé.

Tout comme l'archange Gabriel, il devint alors un Saint apportant la bonne nouvelle.

Prière à saint Gabriel

Saint Gabriel, archange, ange de l'Incarnation,
ouvre nos oreilles aux doux avertissements
et aux appels pressants du Seigneur.
Tiens-toi toujours devant nous, nous t'en conjurons,
afin que nous comprenions bien la Parole de Dieu,
afin que nous Le suivions et Lui obéissions
et que nous accomplissions ce qu'Il veut de nous.
Aide-nous à rester éveillés afin que, lorsqu'Il viendra,
le Seigneur ne nous trouve pas endormis.
Amen.

Postface

DES QUANTA À L'AU-DELÀ, EN PASSANT PAR LA PSYCHOMATIÈRE

Au fond, que savons-nous ?...

C'est avec beaucoup de plaisir que j'ai lu le manuscrit de Jean-Jacques Charbonier. Je l'ai trouvé à la fois vivant, inspiré, généreux et profondément humain. Il m'a fait chaud au cœur. L'auteur, partant de faits qui invitent à repenser la mort, l'immortalité et l'au-delà, nous délivre un vrai message d'espoir.

Ce message fera réfléchir certains. Il jettera peut-être l'ombre d'un doute sur leurs certitudes prématurées.

À d'autres, qui sont en deuil ou traversent des épreuves difficiles, il apportera du réconfort.

Que reste-t-il de nous après la mort ? Beaucoup savent qu'ils ne le savent pas. Ils sont sans réponse, face à cette question si importante et, souvent, si angoissante. Nombreux sont aussi ceux qui estiment qu'ils ont la réponse – la *vraie* réponse, il s'entend.

Le problème est que ces réponses diffèrent et sont souvent incompatibles. Alors, qui croire ? Que croire ? Où sont les preuves ?

Aujourd'hui, le matérialisme dominant de nos sociétés voudrait nous faire croire que la raison « prouve » que nous sommes mortels, que rien de ce que nous sommes ne survivra durablement à notre trépas.

Mais soyons clairs : ceci n'est qu'une croyance. La raison n'impose pas le matérialisme, qui n'est qu'une hypothèse non démontrée parmi tant d'autres.

A priori, s'agissant de l'invisible et de l'inconnaissable, la raison est démunie. Elle n'a pas les moyens de savoir. Elle ignore s'il existe une âme plus forte que la mort. Ou si tout finit au contraire par s'effacer. Par disparaître à jamais, dans un absurde théâtre de l'oubli.

Dans ce contexte peu engageant, Jean-Jacques Charbonier nous a proposé, avec talent et enthousiasme, « 7 bonnes raisons de croire en l'au-delà ». Fort de sa vaste expérience de 25 années de réanimation qui assoient sa crédibilité, il évoque pour nous maints faits troublants, qui interrogent et bousculent nos idées reçues. Certains de ces faits semblent vigoureusement suggérer que la mort est un passage plutôt qu'une fin.

Néanmoins, je n'aborderai pas ici la question – si délicate et si controversée – des preuves éventuelles d'une survie après la mort. La raison est simple : contrairement à Jean-Jacques, je n'ai aucune compétence particulière à ce sujet.

Tout au plus ai-je eu connaissance de plusieurs phénomènes surprenants autour de moi. Je pense notamment à Magali, cette amie dont le fils de 8 ans a déjà vécu deux

NDE (ou EMI, ou encore EMP si l'on préfère). Cet enfant perçoit régulièrement des choses sur des personnes disparues, et en parle. Sa mère, pendant longtemps, n'y voyait qu'illusions fantaisistes d'un enfant à l'imagination trop fertile.

Un jour cependant, elle finit par se rendre à l'évidence : son fils ne disait pas n'importe quoi. Il mentionnait des faits exacts, qu'il ne pouvait objectivement pas connaître. À partir de ce jour, elle comprit qu'il ne s'agissait pas d'une affabulation pure et simple de son fils.

Autre chose se jouait et se joue encore chez cet enfant : il est « branché », ou « relié ». Peu importe les mots que l'on met dessus. Le fait important est qu'il accède à des informations qu'il devrait ignorer. Il accède à un monde invisible, où ces informations circulent et sont archivées.

Ce monde serait-il celui-là même des devins, chamanes, voyantes et autres médiums – quand ils ne sont pas que des charlatans et autres mystificateurs ?

La question se pose de savoir si la science peut nous éclairer. Plus précisément, se pourrait-il qu'une certaine lecture de la science actuelle nous aide à comprendre la mort et les faits troublants qui l'entourent, tels que Jean-Jacques Charbonier les a décrits ?

C'est à cette question que je vais tenter d'apporter quelques éléments de réponse.

Je tiens tout d'abord à souligner que la science expérimentale, inopinément, peut inventer des moyens de tester la validité de certains témoignages de ceux qui ont frôlé la mort. J'en veux pour preuve ce projet « Aware » dont parle Jean-Jacques. En deux mots, ce projet consiste à cacher des cibles visuelles auprès de patients susceptibles de faire une décorporation (ou une OBE : *Out-of-Body Experience*) lors d'une intervention chirurgicale.

Si ces patients totalement anesthésiés voient vraiment néanmoins, comme ils l'affirment, tout ce qui se passe depuis le plafond de la salle d'opération, alors ils devraient voir ces cibles. Ils devraient pouvoir en parler et les décrire par la suite.

Cette expérience, en cours depuis 2008, semble ne pas donner de résultats positifs, comme l'indique Jean-Jacques Charbonier. Mais, quel qu'en soit le succès final, ce qui m'importe ici est de souligner que le projet « Aware », par sa seule existence, montre que certains témoignages liés à la mort et à l'au-delà sont en fait testables.

Il suffit de concevoir des expériences adaptées, qui s'efforcent notamment d'exclure la possibilité d'interprétations alternatives (je pense aux ambiguïtés fréquentes avec la télépathie, dont on sait qu'elle existe).[1]

La science expérimentale n'est pas donc totalement démunie par rapport aux « récits de l'au-delà ». Elle peut inventer des moyens d'en vérifier des aspects cruciaux. Cela permet d'espérer qu'un jour, peut-être, elle aura élucidé un bout de la question de l'au-delà !

1. De nombreux ouvrages donnent les références de preuves objectives (et statistiques) de la télépathie. On pourra notamment consulter le livre de Dean Radin, *La conscience invisible,* éd. J'ai Lu, 2006 ou encore *Phénomènes Insolites,* Marcel Odier, éd. Favre, 2007. Voir aussi les quelques ouvrages de Rupert Sheldrake qui ont été traduits en français.

En attendant, je crois que l'après-vie est un sujet trop sensible et trop chargé émotionnellement pour que les débats qu'elle suscite soient sereins. Je ne souhaite donc pas m'y engager. D'autant plus, on le sait et on le constate si souvent, que *pour un croyant, aucune preuve n'est nécessaire et pour un sceptique, aucune n'est suffisante.*

Entre croyants et sceptiques, trop de dialogues sont des dialogues de sourds parfaitement stériles. Je préfère m'abstenir d'y contribuer.

Quel est, dans ces conditions, le but de cette postface ? Il est de suggérer, en bref complément du texte de Jean-Jacques, comment on pourrait envisager la question de l'au-delà à partir d'un angle d'approche inhabituel. Cet angle est un peu théorique et abstrait, et j'espère que le lecteur n'en sera pas trop déçu. Il est celui de la psychomatière, qui elle-même s'inspire directement des quanta.[2]

---

2. Telle que je la définis, la notion de psychomatière repose sur une réinterprétation fondamentale des quanta. Les quanta et la psychomatière sont présentés dans les livres, *La Nouvelle Physique de l'Esprit,* éd. Le Temps Présent, 2007 et *Les Racines Physiques de l'Esprit,* éd. Quintessence, 2009. Ce qui suit s'inspire de ces deux livres, mais aussi de mes textes suivants : "Au-delà et Physique Quantique", et : "Qu'est-ce qui se trame dans l'Invisible ?". Le premier est inséré dans l'ouvrage, *La Science et les Phénomènes de l'Au-delà*, Jean-Pierre Girard,

Par leurs comportements franchement bizarres, les quanta stimulent la réflexion. De nombreux ouvrages et articles de vulgarisation les présentent : le lecteur intéressé n'a que l'embarras du choix !

Des quanta à la psychomatière

La **psychomatière**, en quelques mots, est ce qu'on obtient en ajoutant à la matière ordinaire un petit quelque chose de non-matériel ; que je baptise le 'psi'. Parce qu'il est très rarement actif, ce 'psi' est quasi indétectable, donc invisible. Trop discret, il est largement ignoré.[3]

Qu'il soit non-matériel signifie que ses attributs et propriétés ne sont pas ceux de la matière ordinaire.

éd. Alphée, 2010 ; le second forme le dernier chapitre du livre *Quantique et Inconscient*, Arlette Triolaire, éd. Le Temps Présent, 2011.

3. Attention au risque de confusion entre le psi et le 'psi' ! En mécanique quantique, il est en effet d'usage d'appeler psi (noté par la lettre grecque ψ) le paquet d'ondes ou la fonction d'onde – dit encore le vecteur d'état – que la théorie associe à une particule. Le 'psi' dont il est question ici est tout autre chose. Il désigne un contenu caché et non matériel du monde, qui laisse néanmoins des traces dans la matière. (Ces traces sont des preuves indirectes de son existence.) Pour en savoir plus, voir la suite et les livres cités.

Aléatoire et créatif, il n'est pas contraint par l'espace-temps (relativiste) de la matière. Notamment, il ne « voit » pas les distances physiques, qui ne signifient rien pour lui : il les transcende.

À partir de là, je fais l'hypothèse que la matière est en fait de la psychomatière. Je propose ainsi qu'un électron est un petit grain de psychomatière. Cet électron (et, plus généralement, toute particule quantique) porte en lui un 'psi' invisible, immatériel et aléatoire. Il s'ajoute à sa partie physique, dont on connaît les déterminismes.

Par ce 'psi', omniprésent dans la matière ordinaire selon mon hypothèse, le monde de l'invisible pénètre au cœur des petits bouts de matière. Il s'invite à la table des quanta. Plus important encore, il agit dans le monde à travers eux.

Cela est riche en conséquences fructueuses et potentiellement utiles – dont la science conventionnelle ne peut tirer aucun avantage aujourd'hui, puisqu'elle nie ou ignore l'existence du 'psi'.[4]

4. Je précise que l'hypothèse de la psychomatière est en principe testable, notamment en physique et en neuroscience. On devrait donc savoir, un jour ou

Le 'psi', je peux le justifier, détient la clef des bizarreries quantiques. Si nous le rajoutons à la matière ordinaire – qui se mue alors en psychomatière – les bizarreries quantiques s'estompent aussitôt. Dans ce cadre élargi, elles deviennent des traits normaux et compréhensibles des quanta, dus à l'action du 'psi'. Tout simplement !

Se pourrait-il aussi que le 'psi' détienne, en partie au moins, la clef du mystère de l'au-delà ? J'en ai l'intime conviction, et c'est la question que je considère à présent.

Le 'psi' est aléatoire car il est partiellement *endo-causal.* Ceci signifie qu'il est capable, à l'occasion, de faire des choix. Ces choix, « auto-décidés » donc internes ou endogènes par définition, font de l'endo-causalité une forme endogène de loi causale : d'où son nom.

Le 'psi' brise le carcan déterministe dans lequel on croyait pouvoir enfermer la matière. Il est créatif, et peut prendre des initiatives spontanées.

---

l'autre, si elle est valide ou non. J'ajoute qu'elle débouche sur des applications technologiques importantes. Ces divers points sont abordés dans *La Nouvelle Physique de l'Esprit,* éd. Le Temps Présent et *Les Racines Physiques de l'Esprit,* éd. Quintessence.

Je précise au passage que je ne suis pas en flagrant délit d'anthropomorphisme naïf appliqué aux quanta ! Il ne s'agit évidemment pas de « psychologiser » les quanta, ni leur 'psi'. J'espère que ceci est parfaitement clair pour le lecteur.

J'ai seulement choisi d'utiliser des mots habituels (*choix, décision, initiative*…) par commodité, et pour éviter d'obscurs néologismes. Mais que ceci ne prête pas à confusion. Les choix éventuels du 'psi' d'un électron n'ont rien à voir avec les décisions que nous prenons tout au long de notre vie. Ils sont extrêmement rudimentaires.[5]

Contrairement au déterminisme, qui est objectif, l'endo-causalité renvoie à un contenu éminemment subjectif.

5. Les « choix » du 'psi' des particules quantiques (qui dans certains cas sont appelés des « résultats de mesure ») sont très limités et fortement contraints. Ils se réalisent ou se concrétisent à l'issue des évolutions dites « non-unitaires », au cours desquelles les ondes quantiques disparaissent (ces ondes, en revanche, accompagnent toute évolution « unitaire »). Les évolutions non-unitaires de la matière atomique et subatomique regroupent notamment les sauts quantiques, les réductions du paquet d'ondes, les collisions inélastiques, les effets tunnels, etc. Elles ont une importance majeure : pour la psychomatière, elles sont au cœur de l'interaction matière-esprit que cherchent depuis toujours les dualistes ; dont René Descartes et, plus près de nous, John Eccles sont deux représentants connus. Voir les livres cités pour plus d'explications.

Pourtant, le 'psi' dont elle émane est d'ordre subjectif : cela l'apparente au psychisme. C'est précisément pourquoi je l'appelle le 'psi' ('psi' comme psychisme).

Lorsqu'un électron par exemple est confronté à des choix nécessaires, son 'psi' devient actif.[6] Il accède à une forme de conscience, infime et totalement négligeable à cette échelle. Le reste du temps l'électron, strictement déterministe, ondule. Il est alors un « paquet d'ondes ». Son 'psi', inactif et inconscient, est latent. C'est bien ce qui le rend indécelable !

Le 'psi' des quanta jouit d'une autre propriété très originale, et riche en conséquences. C'est celle d'être relié. Le 'psi' d'un électron est relié au sens qu'il peut se souder ou de se coller au 'psi' d'autres particules, pour former un 'psi' commun. Tout se passe alors comme si chaque particule

---

6. Une particule élémentaire est confrontée à des choix nécessaires en cas de forte « menace quantique ». Cette notion est définie dans les livres cités. La mesure quantique en est une illustration. (On notera que je prends l'exemple de l'électron pour fixer les idées, mais tout ce que je dis sur le 'psi' est général. Cela reste valable quels que soient les quanta ou les particules élémentaires considérés : électrons, photons, protons, etc.)

concernée perdait son 'psi' individuel, qui se fond dans un 'psi' collectif.

J'appelle **supralité** cette étrange propriété de reliance, qui ressemble à nulle autre. Elle se manifeste par la présence de **liens suprals**, qui soudent le 'psi' de particules distinctes. Cette propriété, comme le 'psi' dont elle est faite, est indifférente à la distance entre ces particules. Son existence est aujourd'hui solidement établie.

Un lien supral ou un lien de supralité, entre deux électrons par exemple, est comme un fil invisible courant de l'un à l'autre. Il relie leurs 'psi', qui perdent leur autonomie en fusionnant. Le 'psi' global ainsi créé n'est pas séparable. Il est en commun. Ce partage implique que les décisions des électrons sont à présent unifiées et simultanées. Elles le restent tant que le lien supral persiste.

Cette unification des deux 'psi' individuels en une entité collective conduit à la parfaite corrélation – ou anti-corrélation, ce qui est conceptuellement équivalent – de leurs choix respectifs, qui ne sont plus indépendants mais au contraire harmonisés. Cette corrélation, jointe au caractère non relativiste (simultanéité, indifférence à la distance), rendent l'existence d'un lien supral identifiable et testable.

La supralité concerne n'importe quel nombre et tout type de particules quantiques (électrons, muons, photons, neutrons, protons, etc.). Elle se manifeste physiquement par ce qu'on appelle indifféremment la non-localité, la non-séparabilité, l'enchevêtrement ou l'intrication quantiques. Cette diversité de noms reflète sans doute la grande perplexité qui l'entoure.

Nous venons jusqu'ici de voir deux traits essentiels de la psychomatière : le 'psi' et la supralité. Son autre grande originalité est d'être une substance à deux visages : elle possède deux états alternatifs. Elle est comme la substance de formule chimique H_2O, qui sera soit de l'eau soit de la glace. (L'une est fluide, plus tiède et dense ; l'autre est solide, froide et moins dense. Ce corps chimique existe aussi à l'état gazeux, évidemment.)

Pour la psychomatière, il ne s'agit pas de glace ni d'eau. Il s'agit de matière et de paral – c'est ainsi que je baptise ses deux visages, ou états. Le premier, la **matière**, s'obtient quand le ‘psi’ est latent et inconscient. Alors, la particule a un comportement parfaitement déterministe. Elle est ondulatoire, continue et relativiste.

Le second état, le **paral**, est exclusif à la psychomatière. Il s’obtient quand le ‘psi’ est actif. Pour une particule isolée, ce ‘psi’ est « proto-conscient ». Il se complexifie et s’enrichit en changeant d’échelle, grâce à la supralité.[7]

Quand une particule passe à l’état paral, cet événement reflète les propriétés du ‘psi’, alors actif. Il est par conséquent aléatoire, discontinu et non-relativiste. La particule y abandonne son aspect ondulatoire pour prendre momentanément une apparence corpusculaire.[8]

---

7. J’emploie le qualificatif de « proto-conscient » pour souligner que l’infime gouttelette de ‘psi’ ou de psychisme actif qui naît dans une particule isolée à l’état paral correspond à l’apparition momentanée d’un degré de conscience extrêmement ténu – si ténu qu’il est quasi inexistant. (Semblablement, un photon isolé ne suffit pas à faire une lumière visible. Il faut en rassembler un nombre faramineux pour cela.) En revanche, quand d’innombrables particules soudées par la supralité (elles sont alors « suprallées », ou intriquées) passent simultanément à l’état paral, cela peut, à partir d’un certain seuil, faire émerger une vraie conscience. Je résume cette idée par la formule : ***la conscience est du paral supralle***.
8. Je signale au passage que la fameuse *dualité onde-corpuscule* de la physique quantique renvoie précisément à la ***dualité matière-paral*** de la psychomatière.

Après ces préliminaires hélas indispensables, j'en viens à la question essentielle : Quels rapports la psychomatière entretient-elle avec l'au-delà ? Nous découvrirons que la psychomatière permet de distinguer non pas un, mais deux au-delà.

Il y aurait donc deux au-delà au bout des quanta ! C'est en tout cas ce à quoi l'on aboutit en suivant la voie tracée par la psychomatière qui rajoute ainsi deux nouvelles raisons aux « sept bonnes raisons » de croire en l'au-delà offertes par Jean-Jacques.

Le premier au-delà est « proche », ou immanent. Je l'appelle la métaconscience. Le second est au contraire « lointain » ou transcendant. Je le baptise l'ur-delà.

(Pour des explications supplémentaires, je renvoie encore et toujours le lecteur aux ouvrages cités.) J'ajoute que le paral – ou plutôt, que tout passage momentané à l'état paral d'une particule, que j'appelle une **phase parale** – a un caractère irréversible. Ceci vient du « choix » endo-causal que crée toute phase parale : il s'insère entre son « avant » et son « après », les rendant inéquivalents. Cette irréversibilité oppose à nouveau l'état paral à l'état matière, qui est celui des évolutions unitaires parfaitement réversibles. On notera que tout choix paral est, pour reprendre l'expression célèbre d'un article rédigé par Einstein, Podolsky et Rosen en 1935, un authentique « nouvel élément de réalité ».

La métaconscience, notre au-delà proche

Selon l'éclairage du monde quantique que donne la psychomatière, l'ensemble des liens suprals qui entourent toute particule dans l'univers forme à tout moment un gigantesque réseau. J'appelle ce réseau la **grande toile suprale**.

Cette toile s'étend à tout le firmament. Elle est une immense toile d'interdépendances, de solidarités, de partages et d'échanges ; à laquelle nous participons tous. Nous recevons beaucoup d'elle, et nous lui donnons aussi – généralement à notre insu.

La supralité confère à chacun une vertigineuse ampleur dans l'invisible. Avec elle, nous devenons un moi supral, infiniment plus vaste que notre petit moi ordinaire.

Par définition, le **moi supral** est ce que devient ce moi ordinaire quand on lui rajoute toutes les liaisons suprales qui le rattachent à autrui et, plus généralement, à la grande toile suprale. Nos liaisons ou nos liens suprals nous donnent des ailes psychiques virtuellement illimitées. Par elles, nous sommes d'authentiques géants de l'invisible !

La toile suprale, discrète à l'excès car faite de 'psi', a néanmoins d'importantes conséquences pratiques. Elle est une sorte de réseau télépathique. Elle est susceptible, par exemple, de rendre possible des guérisons inexplicables, proches ou à distance.[9]

La toile suprale contient, archive et transmet des informations qui y sont déposées et ajoutées en permanence, depuis la nuit des temps. Ces informations sont des informations suprales.

---

9. Inexplicables, évidemment par rapport à l'hypothèse conventionnelle que la matière est inerte. Si l'on adopte l'hypothèse de la psychomatière en revanche, tous ces phénomènes insolites – ou paranormaux – deviennent parfaitement envisageables et explicables. Dans le cas présent (d'un éventuel impact positif sur un état de santé), on pourrait parler de « bio-psychokinèse ». Pour en savoir plus, et outre les livres déjà cités, je renvoie à mon texte intitulé : 'Paranormal et Microphysique : une Approche par la Psychomatière', inséré dans le livre *Encyclopédie du Paranormal*, Jean-Pierre Girard, éd. Trajectoire, 2005. J'ajoute que le Dr Larry Dossey mérite une mention spéciale à ce sujet : il a longuement étudié l'influence, à distance, de la prière sur la guérison et le mieux-être. Plusieurs de ses ouvrages, malheureusement ignorés du public français, traitent de la question.

L'**information suprale** résulte des motifs – d'une infinie diversité – que dessinent ou « tricotent » collectivement les liens suprals qui s'entrecroisent dans la toile alors qu'ils suivent leur chemin, qui court d'une particule à l'autre.

Cette information est généralement inconsciente et subliminale, comme le 'psi' qui lui sert d'assise. Cependant, un état de grande réceptivité intérieure peut aider à l'entendre ou à la percevoir. La méditation, qui fait taire les bruits parfois assourdissants du mental, favorise cet état.

L'information suprale est une forme inédite et totalement nouvelle d'information. C'est elle, dans le cadre de la *psychomatière*, qui détient la clef des qualia, ces contenus qualitatifs et subjectifs de notre vécu.[10]

10. L'information suprale est codée et stockée – ou mémorisée – dans le champ 'psi' que forme la supralité. Non-locale et invisible, elle reste en général inconsciente à l'instar du 'psi' lui-même. (Elle devient plus ou moins consciente, à des degrés divers, quand les particules de psychomatière qui lui servent de support passent simultanément à l'état paral). L'unité d'information suprale est le **suprel** (qui est un « pixel de l'esprit »). Ce concept a de nombreuses implications – qui suffiraient, je crois, à remplir plusieurs ouvrages ! Par exemple, on pourrait en déduire l'existence de diverses « sphères de l'inconscient », emboîtées les unes dans les autres comme autant de poupées russes. L'une d'elles est l'inconscient transgénérationnel de la psychogénéalogie. L'information suprale offre par ailleurs une solution plausible (et testable)

Au cours de notre vie, nous, notre esprit et notre cerveau générons une masse considérable de ces informations. Témoins de nos vécus, la plupart d'entre elles se disperse ensuite dans la grande toile suprale, à laquelle nous sommes en permanence reliés. Elles y perdurent : cette grande toile invisible et non-locale archive, peut-être à tout jamais, les traces de nos vécus.

Notre méta-conscience, ou **métaconscience**, est alors l'ensemble des informations suprales déposées tout au long de notre passage terrestre dans la grande toile. Cet ensemble de traces invisibles est une sorte d'enveloppe de tout ce qu'il nous a été donné de vivre. Une enveloppe durable, voire même quasi immortelle.

Notre métaconscience est ce qu'il restera de nous, bien après notre mort physique. Elle constitue notre « âme immanente » – immanente car très liée à la psychomatière et à ses propriétés. Elle s'inscrit dans un au-delà immanent

---

à l'énigme des qualia et à celle de la mémoire déclarative. (Je rappelle que les **qualia** sont les contenus sensibles de l'expérience subjective. Quant à la **mémoire déclarative**, c'est celle de nos souvenirs mentaux, issus de notre vécu conscient.) À nouveau, voir les livres cités.

(ou « proche »), entièrement contenu dans la dimension invisible de notre univers manifesté.

Voici ce que j'en écrivais, dans ma petite contribution au livre : *La Science et les Phénomènes de l'Au-delà*, déjà cité :

> *“Telle une « âme immortelle » qui nous est personnelle, notre méta-conscience crée une forme de survivance psychique propre à chacun d'entre nous. Elle est ce petit bout d'âme qui nous appartient, et qui se fond dans l'âme globale du monde… pour l'éternité, ou presque.*

Incidemment, il se pourrait que nous puissions parfois contacter la métaconscience d'une personne défunte. Les métaconsciences sont en effet toutes reliées entre elles au sein de la grande toile suprale. Ceci permet d'envisager la possibilité d'une éventuelle communication avec « l'énergie des morts », pour reprendre une expression d'Arlette Triolaire.

Un tel phénomène, invraisemblable dans le cadre de la physique conventionnelle, devient envisageable avec la psychomatière. Il offre une explication plausible aux prouesses paranormales du fils de Magali dont j'ai parlé.

Mon hypothèse est que cet enfant de 8 ans reçoit et perçoit des informations sur des défunts par sa connexion exceptionnellement forte à cette toile suprale universelle qui nous rassemble et relie nos métaconsciences. Le fait qu'il ait vécu des NDE (ou des EMI) n'a pu que renforcer et enrichir cette connexion. (Je m'expliquerai ailleurs sur ce point.)

Pour conclure cette section, nous venons de voir que la physique quantique, interprétée en termes de psychomatière, permet d'envisager une première façon de survivre à la mort physique. Ce premier niveau de l'au-delà est celui la métaconscience. Il est une huitième bonne raison pour croire en l'au-delà.

En poursuivant la réflexion, nous allons découvrir un second niveau, plus « lointain » car hors de ce monde.

C'est celui d'un *ur-delà*, dont je parle à présent. Il constitue la neuvième bonne raison…

L'ur-delà, un au-delà lointain

Pour découvrir et définir l'ur-delà, et saisir son rapport avec la psychomatière, revenons un instant sur ce qui fait l'originalité fondamentale et fondatrice de cette dernière : c'est l'endo-causalité.

Pour la psychomatière je le rappelle, toute particule quantique, via son 'psi', comporte une instance endo-causale. Dire par exemple qu'un électron possède de l'endo-causalité, revient à dire qu'il possède (grâce à son 'psi') une capacité de choix ou encore, un pouvoir décisionnel – évidemment rudimentaire.

En bref, l'endo-causalité est une causalité choisie (ou libre), donc endogène. Elle se manifeste concrètement en prenant le visage du hasard. Plus précisément, elle se manifeste dans l'aléatoire quantique.

Le hasard quantique n'est, selon moi, que le masque apparent de l'endo-causalité partielle qui habite et caractérise la psychomatière. Il s'avère que cette hypothèse, sous des apparences anodines, a une immense portée. Elle peut mener très loin : jusqu'à toucher la transcendance !

Il est opportun, à ce propos, de se remémorer cette phrase magnifique d'Albert Einstein : « *Le hasard est le chemin qu'emprunte Dieu quand il voyage incognito.* » Elle est profonde de vérité.

En effet, la transcendance serait à chercher du côté de l'**ur-causalité**, qui est une extension, un prolongement « naturel » de l'endo-causalité partielle ; qui elle-même se présente sous forme de hasard partiel. Voici ce que j'écrivais à son propos, dans un texte publié en 2007[11] :

“ L'ur-causalité est l'endo-causalité pure ou totale ; elle n'est pas l'endo-causalité de la psychomatière, qui n'est que partielle, et limitée par tous les déterminismes qui la

11. Extrait d'un article paru dans le N° 85 de la revue *3e Millénaire* sous le titre : 'La Nouvelle Physique, le Transpersonnel et le Divin en Nous'.

régissent. (…) L'ur-causalité abolit la distance infranchissable qui séparait l'être et le non-être. (...) Avec elle, l'être et le néant deviennent… partenaires d'une danse existentielle où tout est réversible – y compris le fait d'exister, et celui de ne pas être. Je traduis cela en disant qu'il est « existible ». [Par son] « existibilité » (…) il est créateur et auto-créateur. En bref, l'ur-causal est ontologiquement réversible. Cette propriété cruciale signifie qu'il est capable de se transformer en vrai néant (exempt de lois physiques) autant que de s'auto-engendrer (à partir du néant radical).

L'ur-causalité surprend. Elle est totalement atypique. Elle est créativité pure et sans entrave. Ce trait la met au cœur de l'énigme de l'être et de sa genèse. Ses propriétés exclusives sont puissantes et fécondes. On peut, dans une certaine mesure, les approcher par la logique, qui on le sait est la métaphysique de tous les mondes possibles. Par la logique inédite de l'ur-causalité. (Je l'évoque dans deux chapitres de *La Nouvelle Physique de l'Esprit*.)

L'ur-causalité n'est pas de ce monde. Contrairement à l'endo-causalité partielle, elle appartient au monde de la transcendance. Elle se présente comme une sorte de « principe créateur ». Créateur de l'univers et de lui-même. Car être ur-causal, c'est jouir d'une liberté absolue. C'est être et faire ce que l'on décide d'être et de faire – sans restriction ni contrainte extérieures.

À présent, voici comment l'ur-causalité, « principe créateur » par excellence, engendre la possibilité d'un ur-delà. Je me cite à nouveau[12] :

“Ce « principe » - que l'on peut être tenté d'appeler dieu ou le divin, pourquoi pas ? - peut maintenir un lien privilégié avec les créatures de sa création. Il le peut… s'il en décide ainsi.

Ce lien éventuel n'est plus supral et immanent comme auparavant. Il est ur-causal et transcendant. Il a la capacité d'offrir une vraie survie post mortem, pour l'éternité peut-être - mais que signifie le mot éternité dans ce contexte, où la notion de temps s'efface ? - à ses créatures… puisque avec

12. Les deux passages qui suivent proviennent de mon texte déjà cité : 'Au-delà et Physique Quantique' (2010).

l'ur-causalité, tout devient possible. Tout est envisageable : tous les possibles habitent dans le « principe créateur ».

Cette survie éventuelle de ce qu'on peut choisir d'appeler une « âme transcendante », ou une « âme » tout court, définit l'ur-delà. Elle est une possibilité mais pas une certitude. Elle est arbitraire et indécidable, car acquise par décision ur-causale, intrinsèquement fluctuante et réversible. Je poursuis :

> *“L'ur-delà est un au-delà transcendant ; que l'ur-causalité, ou l'endo-causalité pure, rend parfaitement envisageable. Il est un don. Un don insondable et mystérieux, dont l'existence est indémontrable. (...) Il s'acquiert par la « grâce » d'une initiative ur-causale. Les philosophies peuvent spéculer sur lui, mais la science ne pourra jamais en dire quoi que ce soit. Chacun est libre d'y croire ou de ne pas y croire.*

En bref, l'ur-delà est un au-delà « optionnel » que peut choisir (ou non) de créer, pour chacun d'entre nous après sa mort charnelle, le « plan » ou le « principe » ur-causal qui serait à l'origine de tout ce qui est. Il est un « au-delà mystique ».

L'ur-delà ne peut être appréhendé que par la compréhension du cœur. D'ailleurs, Antoine de St-Exupéry le soulignait, *on ne voit bien qu'avec le cœur.* Krishnamurti confirmait que *la vision pénétrante ne passe pas par le cerveau.* L'illumination et la transformation de soi ne passent pas le mental. Ce sont des affaires de cœur et d'amour inconditionnel.

Enfin, s'il est donné à quelqu'un de survivre dans l'ur-delà, alors cette personne devient immortelle. Ou plutôt, elle devient *atemporelle* ; car la notion de temps perd ici toute pertinence. Il devient aussi envisageable, alors, qu'une reliance ur-causale lui permette de maintenir une connexion privilégiée avec des vivants. Et de se manifester à eux ?

Le bout du chemin…

Au bout du compte, nous discernons deux au-delà. Ce chiffre, d'ailleurs, n'est pas forcément limitatif puisque des spéculations plus poussées introduiraient peut-être d'autres façons encore de penser la survie et l'au-delà. Ceci me fait penser à Georg Cantor, le mathématicien de l'infini.

Avant lui, on ne connaissait que deux infinis : l'infini actuel et l'infini potentiel. Ses travaux (qui furent très mal accueillis par ses pairs) montrèrent qu'il existe une infinité d'infinis différents ! Faut-il vraiment s'en étonner ? Cantor les nomma les transfinis. Ils ouvrirent un nouveau et passionnant chapitre de l'histoire des mathématiques.

Quoi qu'il en soit l'ur-delà, parce qu'il nous plonge dans les vertiges de la transcendance, reste un grand inconnu. En effet, un éventuel « principe ur-causal » ou principe transcendant – voire même, principe divin, ou Dieu ? – décide fondamentalement ce qu'il lui importe de décider.

Nul ne peut connaître ses choix, nul ne peut énoncer des lois le concernant. Par essence, le principe ur-causal est inconnaissable et incommensurable. Il est, en un mot, indécidable. Nul ne peut le mettre en boîte, ni en équation.

Seule l'humilité permet de l'approcher, dans les modestes limites du possible.

Il peut cependant choisir de s'adresser à nous, puisque tout lui est loisible. Ce pourrait-il que certains parviennent à entendre ses messages ? Je pense à certains types de médiumnité. Je pense aussi à la Méta-connexion d'Arlette Triolaire. (Voir à ce sujet son livre, déjà cité.)

Ce ne sont là, évidemment, que des hypothèses rigoureusement indémontrables. En ce domaine où les preuves sont douteuses voire inexistantes, la plus extrême prudence s'impose. (Voir cependant le cas étrange du Padre Pio, ci-dessous.)

Nous voyons en tout cas, par ce détour un peu abstrait, que rien ne permet d'affirmer que la mort corporelle est le bout du chemin. Avec deux au-delà qui se présentent à nous, elle pourrait n'être qu'un passage, qu'une transition vers d'autres formes d'existence ou vers d'autres plans de l'être. Cette idée, ou d'ailleurs cette intuition, n'est pas nouvelle. Elle a déjà été formulée maintes fois.

La mort est-elle la fin ultime ? Vaste question, que cet immense poète que fut Victor Hugo reformulait ainsi : « *De quel papillon cette vie terrestre est-elle donc la chenille ?* »

Si pour Kant la mort est le passage du temps à l'éternité, elle est peut-être, aussi, une fenêtre qui s'ouvre vers l'absolu. Rien ne permet de voir en elle la disparition pure et simple, ou la négation définitive, de l'être incarné.

Celui-ci, nous l'avons vu, déborde de son enveloppe charnelle par sa double reliance : par sa reliance suprale et par sa reliance ur-causale. La première produit la métaconscience ; la seconde s'épanouit dans l'ur-delà.

Ces deux reliances sont des ponts vers une après-vie imbibée de vie : cette perspective n'est-elle pas une formidable source d'espérance et de sens ?

Il est intéressant de noter que des faits aussi stupéfiants que vérifiables suggèrent, faute d'explication conventionnelle crédible, qu'une transcendance – donc une dimension ur-causale, je crois – se manifesterait çà et là dans notre monde immanent.

J'en vois pour preuve, sous réserve d'une étude plus rigoureuse bien entendu, le fait suivant[13] :

"Les miracles existent-ils ? Ma réponse est positive, preuves à l'appui. Il y a par exemple le cas du Padre Pio. Ce prêtre catholique italien, né en 1887, mort en 1968 et canonisé en 2002, fut exhumé en 2008 et, surprise : son corps – qui n'avait fait l'objet d'aucun traitement spécial – était en parfait état de conservation, ce qui va à l'encontre de toutes les lois de la biochimie ! (...) D'autres cas avérés de corps parfaitement conservés – et qui, parfois, dégagent même une odeur plaisante – existent dans le monde. Fait remarquable, tous appartenaient à des êtres de haute élévation spirituelle. C'est le cas du grand moine bouddhiste tibétain Dudjom Rinpoché : son corps en posture de méditation est resté indemne.

---

13. Cette citation est un mélange de phrases extraites, d'une part, de mon article : 'Qu'est-ce que l'Information Quantique ?' et d'autre part, de mon interview intitulée : 'La Psychomatière : une Nouvelle Physique de l'Esprit'. L'article est paru dans la revue *Sacrée Planète,* n°43, déc. 2010-janv. 2011 ; l'interview fut publiée dans le N°8 (août-sept. 2011) du magazine *Enquêtes de Santé.*

Ces cas, bien entendu, sont rarissimes. J'ajoute que l'odeur plaisante mentionnée est précisément ce qu'on appelle « l'odeur de sainteté ». L'expression est à prendre au pied de la lettre !

C'est l'occasion, pour finir, de rappeler qu'il y a plusieurs façons de regarder les faits et les choses. On peut, disait saint Bonaventure, les regarder comme des objets ou comme des signes. Faits, objets, ou signes ? Ces signes émaneraient-ils parfois de l'ur-delà ?

Ne nous précipitons pas à rejeter cette possibilité, même si elle heurte nos croyances et malmène nos préjugés. Souvenons-nous qu'elle porte en elle un trésor rayonnant de vie.

Elle ouvre nos cœurs et nos esprits sur un horizon lumineux : celui, prometteur, des mystères de l'infini.

Emmanuel Ransford

Remerciements

À mon épouse Corinne qui a la patience d'accepter tous les moments pris par mon travail d'anesthésiste-réanimateur mais aussi par mon activité très chronophage d'écrivain et de conférencier.

« Celui qui a raison vingt-quatre heure avant les autres passe pour un fou pendant vingt-quatre heures seulement. » Nous sommes aujourd'hui arrivés à la vingt troisième heure et je remercie de tout mon cœur les scientifiques qui osent compromettre leur réputation en soutenant mes idées. Le Dr Olivier Chambon et Emmanuel Ransford ont eu cette audace. Pour cela, je leur en suis d'une infinie reconnaissance.

Merci aussi à Guy Trédaniel et à toute son équipe pour la confiance qu'ils m'accordent en éditant des textes

« à risque », ainsi qu'à Estelle Guerven, mon attachée de presse, pour son savoir-faire à faire savoir.

Sans oublier tous les « Léon » qui ont inspiré la rédaction de ce livre qui, sans eux, n'existerait pas et tous les « Gabriel» qui sont le plus souvent, comme je l'étais au moment de la fin de mes études de médecine … des anciens « Léon » repentis.

Bibliographie

ALVARADO C.S., *Out-of-body experiences* in *Varieties of anomalous experience : Examining the scientific evidence.* American Psychological Association, 2000.

BARBE C., *Le langage de l'invisible,* éd. Kymzo, 2006 ; *Comment les morts s'expriment,* éd. Kymzo, 2007 ; *Signes de survivance,* éd. Kymzo, 2009.

BAUDOUIN B., *Near-death experiences,* éd. De Vecchi, 2006.

BEAUREGARD M., O'LEARY D., *Du cerveau à Dieu,* Guy Trédaniel Éditeur, 2008.

CANIVENQ N., *L'arbre du choix,* éd. Le Temps Présent, 2010.

BEAUREGARD M., CHARBONIER J.-J., DETHIOLLAZ S., JOURDAN J.-P., MERCIER E.-S., MOODY R., PARNIA S., VAN EERSEL P., VAN LOMMEL P., *Actes du colloque de Martigues du 17 juin*

2006. Premières rencontres internationales sur l'Expérience de Mort Imminente, éd. S17 Production, 2007.

BENHEDI L., MORISSON J., *Les NDE. Expériences de mort imminente,* éd. Dervy, 2008.

BESSIÈRE R., *Les morts parlent aux vivants,* éd. Trajectoire, 2005.

BLANKE O., ORTIGUE S., LANDIS T., SEECK M., *Stimulating illusory own-body perceptions, Nature* 2002, 419 : 269-270.

BLANKE O., LANDIS T., SPINELLI L., SEECK M., *Out-of-body experience and autoscopy of neurochirurgical origin, Brain,* 2004.

BLANC-GARIN J. et M., *En communion avec nos défunts : Dans l'infinitude de l'amour,* éd. Alphée, 2007 ; *L'infinitude de la vie : Communication avec les défunts, recherches et preuves,* éd. Alphée, 2009.

BLUM J., *La science devant la survie de l'âme*, éd. Alphée, 2010.

BOUVIER H., *Mission des âmes dans l'au-delà,* éd. Le Temps Présent, 2009.

BRUNE F., *Les morts nous parlent,* Tome 1 et 2. éd. Le livre de Poche, 2009 ; *Les morts nous aiment,* éd. Le temps Présent, 2009.

CHARBONIER J.-J., *L'après-vie existe,* éd. C.L.C., 2006 ; *La mort décodée,* Guy Trédaniel Éditeur, 2008 ; *Les preuves scientifiques d'une Vie après la vie,* éd. Exergue 2008 ; *La médecine face à l'au-delà,* Guy Trédaniel Éditeur, 2010.

CHATEIGNER K., *Le Nouveau Livre des Esprits,* éd. Cercle Spirite Allan Kardec, 2002.

CHOPRA D., *La vie après la mort,* éd. Guy Trédaniel, 2007.

COULOMBE M., *Les morts nous donnent signe de vie,* éd. Edimag, Canada, 2005.

DALAÏ LAMA, *Voyage aux confins de l'esprit,* éd. J'ai lu, 2010.

DECKER M., *La vie de l'autre côté,* éd. J'ai lu, 2005.

DESCAMPS M.-A., *Les expériences de mort imminente et l'après-vie,* éd. Dangles, 2008.

DETHIOLLAZ S., FOURRIER C.-C., *États modifiés de conscience : NDE, OBE et autres expériences aux frontières de l'esprit,* éd. Favre Sa, 2011.

DRAY M. et Y., *Karine après la vie,* éd. Albin Michel, 2002.

DRON N., *45 secondes d'éternité : Mes souvenirs de l'Au-delà,* éd. Kymzo, 2009.

EADIE B.J., *Dans les bras de la lumière,* éd. Pocket, 2006.

ECCLES J., *Comment la conscience contrôle le cerveau,* éd. Fayard, 1997.

ELSAESSER VALARINO E., *Le pays d'Ange,* éd. Les Presses du Midi, 2008.

FONTAINE J., *La médecine des trois corps.* éd. J'ai lu. Aventure Secrète, 2005.

GIRARD J.-P., *Encyclopédie du paranormal,* éd. Trajectoire, 2005 ; *Encyclopédie de l'au-delà,* éd. Trajectoire, 2006 ; *La science et les phénomènes de l'au-delà,* éd. Alphée, 2010.

GREYSON B., *Incidence and correlates of near-death-experiences in a cardiac care unit. General Hospital Psychiatry, vol. 25,* 2005.

GROF S., *Le jeu cosmique*, éd. Le Rocher, 2004 ; *L'ultime voyage*, Guy Trédaniel Éditeur, 2009.

KARDEC A., *Le livre des médiums*, éd. Dervy , 2003 ; *Le livre des esprits*, éd. J'ai lu. Aventure secrète, 2005.

KÜBLER-ROSS E., *La Mort est un nouveau soleil*, éd. Pocket, 2002.

LANNAUD P., *Témoignages et preuves de survie*, éd. Le Temps Présent, 2008.

LA REVUE DE L'AU-DELÀ, Menssana, Paris.

LASZLO E., *Science et Champ Akashique*, éd. Ariane, 2005.

LEGAL J.M., *Contacts avec l'au-delà*, éd. Lanore, 2006.

LE MAGAZINE DE L'INREES, INREES, Paris.

LERMA J., *Dans la lumière*, éd. AdA, 2009.

LESHAN L., *The Medium, the Mystic and the Physistic : Towards a Theory of the paranormal*, New York, Helios Press, 2003.

LE MONDE DU GRAAL, Éditions du Graal, Montreuil-sous-Bois.

LINES Y., *Quand l'au-delà se dévoile,* éd. JMG, 2006.

MAC TAGGART L., *La science de l'intention : Utiliser ses pensées pour transformer sa vie et le monde,* éd. Ariane, 2008.

MARTIN J., *Des signes par milliers,* éd. Le temps présent, 2011.

MAURER D., *Les Expériences de Mort Imminente,* éd. du Rocher, 2005.

MOODY R., *La vie après la vie,* éd. Robert Laffont, 1977 ; *Nouvelles révélations sur la vie après la vie,* éd. Presse du Châtelet, 2001 ; *Témoins de la vie après la vie : Une enquête sur les expériences de mort partagée,* éd. Robert Laffont, 2010.

MORSE M., *Des enfants dans la lumière de l'Au-delà,* éd. Robert Laffont, 1992 ; *La Divine Connexion,* éd. Le Jardin des Livres, 2002 ; *Le Contact Divin,* éd. Le Jardin des Livres, 2005.

MOULIN A.M., *Le papillon libéré,* éd. Patrick Lannaud, 2005.

MORZELLE J., *Tout commence…après. Mes rencontres avec l'au-delà*, éd. C.L.C., 2007.

MURAKAMI K., *Le Divin Code de la Vie,* éd. Guy Trédaniel, 2007.

NDE MAGAZINE, Le magazine de l'au-delà et de la vie après la mort, Nice.

PARASCIENCES, JMG éditions, Paris.

PARNIA S., WALLER D.G., YEATES R., FENWICK P., *A qualitative and quantitative study of the incidence, features and aetiology of Near-Death Experiences in cardiac arrest survivors, Resuscitations* 48, 2001.

PRIEUR J., *Les morts ont donné signes de vie,* éd. Sorlot et Lanore, 1990.

RAGUENEAU P., *L'autre côté de la vie,* éd. du Rocher, 1997.

RANSFORD E., *La nouvelle physique de l'esprit : Pour une nouvelle science de la matière,* éd. Le Temps Présent, 2007.

RAUZY D., *L'éveil des nouveaux chamans : Une approche holistique de la vie,* éd. Guy Trédaniel, 2008.

RAWLINGS M., *Derrière les portes de la lumière,* éd. Le Jardin des Livres, 2006.

RING K., *Sur la frontière de la vie,* éd. Robert Laffont, 1982.

RING K., COOPER S., *Near-death and out-of-the-body experiences in the blind : a study of apparent eyeless vision, Journal of Near-Death Studies, vol 16, 1998* ; *Mindsight : Near-death and out-of-the-body experiences in the blind,* éd. William James Center for Consciousness Studies, 2009.

RING K., MOODY R., LESTERLIN M. *Sur la frontière de la vie*. éd. Alphée, 2008.

RINPOCHE S., *Le Livre Tibétain de la Vie et de la Mort,* éd. La Table Ronde, édition augmentée, 2003.

RIOTTE J., *Ces voix venues de l'au-delà,* éd. France Loisir, 2003.

SABOM M., *Light and Death, One Doctor's Fascinating Account of Near-Death Experiences,* éd. Zondervan, 1998.

SHELDRAKE R., *Sept Experiences qui peuvent changer le monde,* éd. Le Rocher, 2005.

THIGHOU S., *La violence faite à l'esprit,* éd. Qetzal podi, 2002.

VAN EERSEL P., *La source noire,* éd. Le Livre de Poche, 1987.

VAN CAUWELAERT D., *Un aller simple,* éd. Le Livre de Poche, 1995 ; *La vie interdite,* éd. Le Livre de Poche, 1999 ; *La maison des lumières,* éd. Le Livre de Poche, 2011.

VAN LOMMEL P., VAN WEES R., MEYERS V., ELFERICH I., *Near-Death Experience in survivors of cardiac arrest : a prospective study in the Netherland. The Lancet, vol, 358,* 2001.

VAN LOMMEL P., *Consciousness Beyond Life,* éd. Harper One, 2010.

VERMEULEN D., *NDE et expériences mystiques d'hier et d'aujourd'hui,* éd. Le Temps présent, 2007.

VIGNAUD H., *En contact avec l'invisible,* éd. Inter Éditions, 2011.

WICKLAND C., *Trente ans parmi les morts,* éd. Exergue, 2000.

ZEIDLER N., *Tu seras ma voix : Messages de Vladik à sa mère,* éd. Louise Courteau, 2010.

Table des matières